まちごとインド
西インド003

ジョードプル
「巨人の城」とブルー・シティ
［モノクロノートブック版］

巨大な城砦メヘランガル・フォートが断崖上にそびえ、その城下に発展してきたジョードプル。1459年、ラージプート族のラオ・ジョーダ王によって建設された街は、「ジョーダの街(ジョードプル)」を意味する。

ジョードプルでは、ムガル帝国(16～18世紀)、イギリス統治(19～20世紀)時代を通じてマハラジャによる統治が認められる半独立状態が続いた。500年のあいだマール

ワール王国(藩王国)の都がおかれ、ジョードプル王族は名門ラージプートの一角をしめている。

またジョードプル旧市街の建物は青色で塗りあげられていることから、「ブルー・シティ(青の都)」の愛称をもつ。「ピンク・シティ」の州都ジャイプルに続くラジャスタン第2の都市でもあり、広大なタール砂漠のちょうど入口に位置している。

Asia City Guide Production
West India 003

Jodhpur

जोधपुर/جودھ پور

｜まちごとインド｜西インド 003｜

ジョードプル

「巨人の城」とブルー・シティ

「アジア城市(まち)案内」制作委員会
まちごとパブリッシング

まちごとインド
西インド 003
ジョードプル

Contents

ジョードプル 007
砂漠へ続く青の都 013
メヘランガルフォート鑑賞案内 021
宮殿区鑑賞案内 029
庭園区鑑賞案内 041
ジャスワントタダ鑑賞案内 049
サルダルマーケット城市案内 057
ジュニマンディ城市案内 071
ムガルとマールワール家 081
ジョードプル駅城市案内 085
ウメイドガーデン城市案内 093
ラタナダ城市案内 101
市街北部城市案内 113
マンドール城市案内 119
市街南西城市案内 131
ジョードプル郊外城市案内 137
オシアン城市案内 143
城市のうつりかわり 153

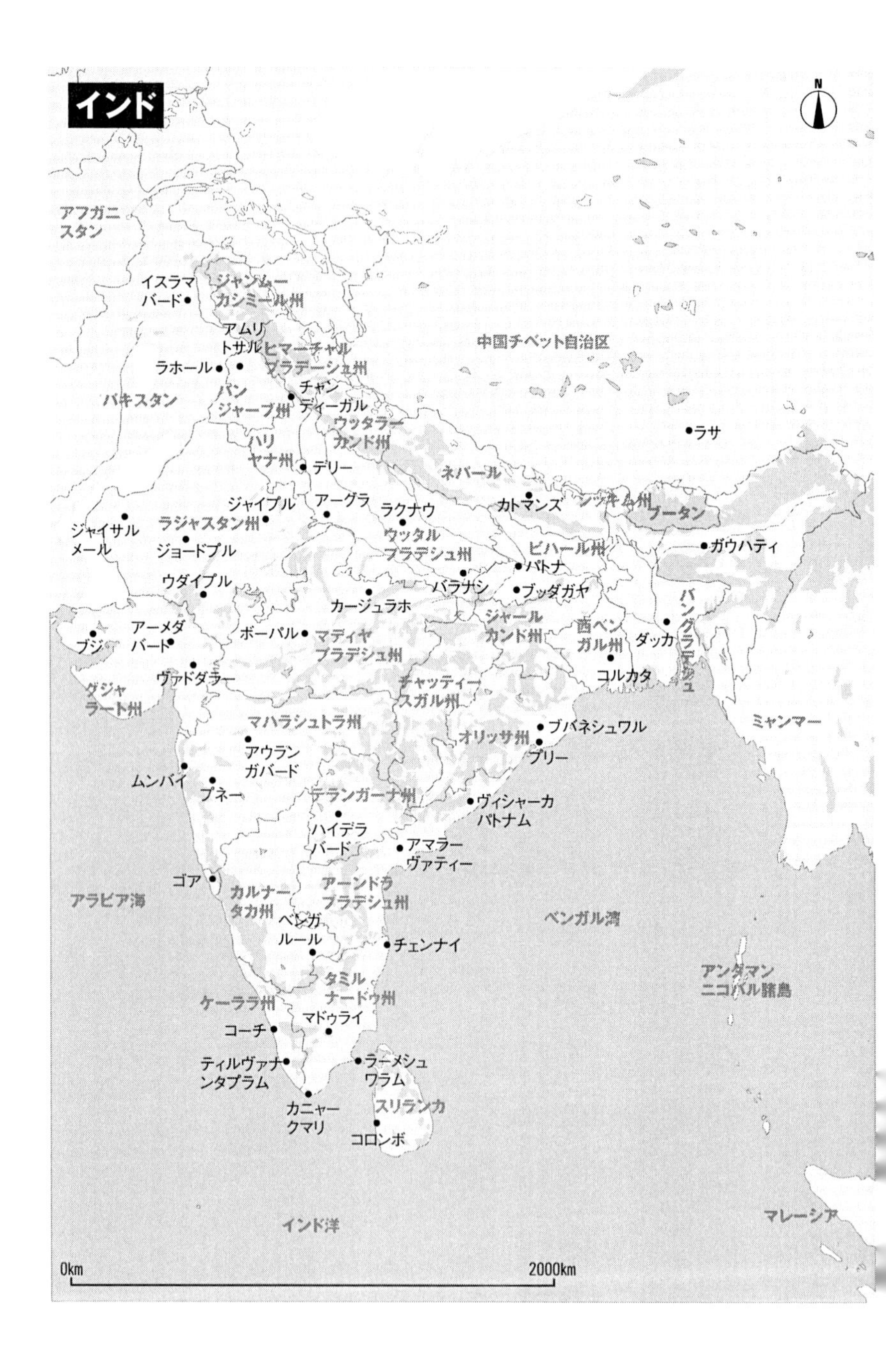
インド
N
アフガニスタン
イスラマバード
ジャンムーカシミール州
アムリトサル
ヒマーチャルプラデーシュ州
ラホール
パキスタン
パンジャーブ州
チャンディーガル
ウッタラーカンド州
ハリヤナ州
デリー
中国チベット自治区
ラサ
ネパール
カトマンズ
シッキム州
ブータン
ジャイプル
アーグラ
ラクナウ
ジャイサルメール
ラジャスタン州
ジョードプル
ウッタルプラデシュ州
ビハール州
ガウハティ
パトナ
バラナシ
ブッダガヤ
ウダイプル
カージュラホ
バングラデシュ
ジャールカンド州
西ベンガル州
ダッカ
アーメダバード
ブジ
ボーパル
マディヤプラデシュ州
ヴァドダラー
コルカタ
グジャラート州
チャッティースガル州
マハラシュトラ州
ブバネシュワル
ミャンマー
オリッサ州
プリー
アウランガバード
ムンバイ
プネー
テランガーナ州
ヴィシャーカパトナム
ハイデラバード
アマラーヴァティー
ゴア
アーンドラプラデシュ州
アラビア海
カルナータカ州
ベンガル湾
ベンガルール
チェンナイ
アンダマンニコバル諸島
タミルナードゥ州
ケーララ州
マドゥライ
コーチ
ティルヴァナンタプラム
ラーメシュワラム
カニャークマリ
スリランカ
コロンボ
インド洋
マレーシア
0km
2000km

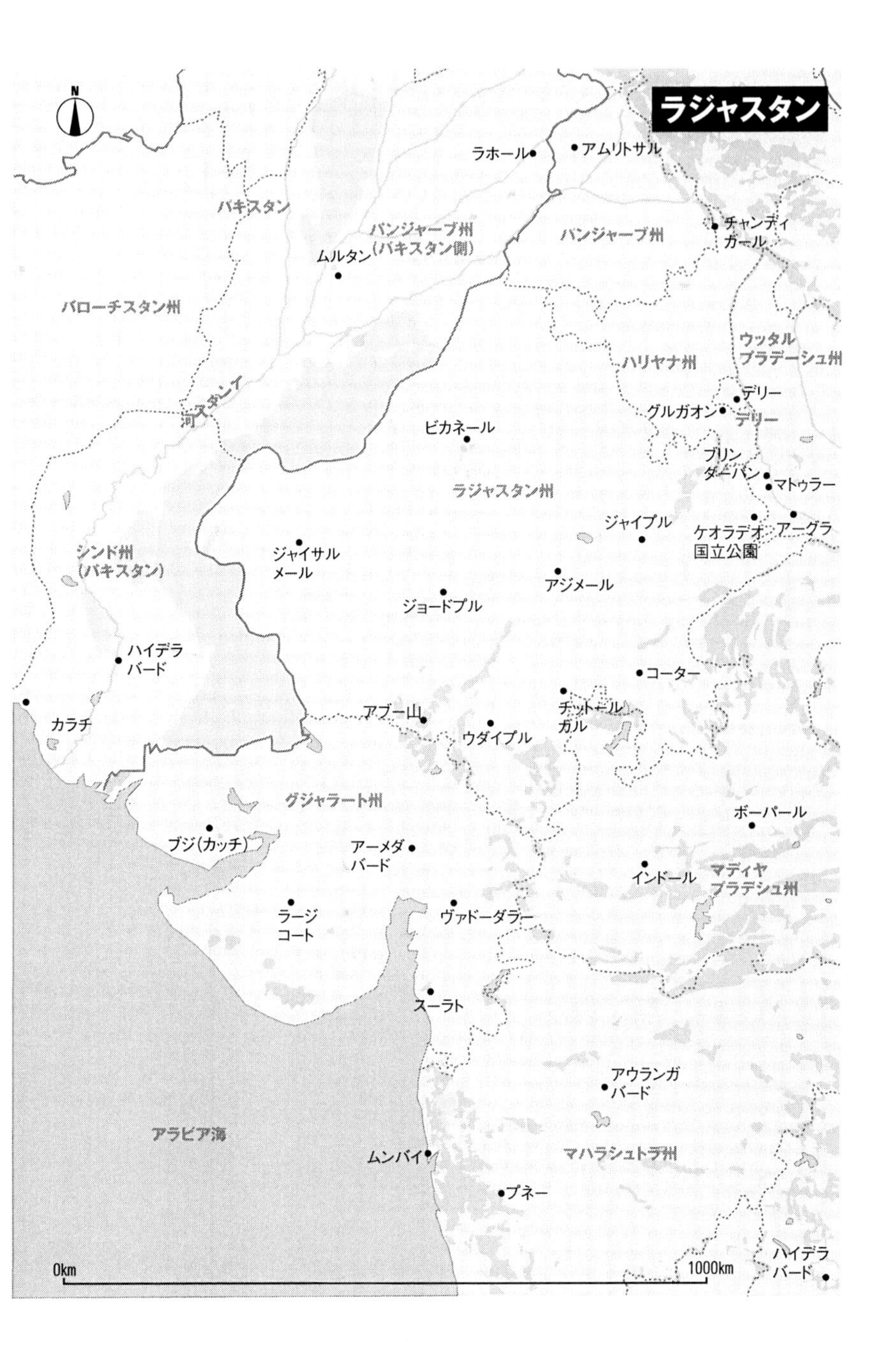
ラジャスタン
N
ラホール
アムリトサル
パキスタン
パンジャーブ州
(パキスタン側)
パンジャーブ州
チャンディ
ガール
ムルタン
バローチスタン州
ウッタル
プラデーシュ州
ハリヤナ州
インダス河
デリー
グルガオン
デリー
ビカネール
ブリン
ダーバン
マトゥラー
ラジャスタン州
ジャイプル
ケオラデオ
国立公園
アーグラ
シンド州
(パキスタン)
ジャイサル
メール
アジメール
ジョードプル
ハイデラ
バード
コーター
チットール
ガル
アブー山
ウダイプル
カラチ
グジャラート州
ボーパール
ブジ(カッチ)
アーメダ
バード
インドール
マディヤ
プラデシュ州
ラージ
コート
ヴァドーダラー
スーラト
アウランガ
バード
アラビア海
ムンバイ
マハラシュトラ州
プネー
0km
1000km
ハイデラ
バード

Introduction

砂漠へ続く青の都

ジョードプルは500年以上の歴史をもつ
ラートール・ラージプート族の都
マハラジャは今でも人びとに親しまれている

崖のうえのマハラジャ宮殿

地球に現存するもっとも古い時代の地殻(5億9000万年以前の先カンブリア時代)を利用して築かれたメヘランガル・フォート。この城砦は1459年、ラオ・ジョーダ王によって北8kmのマンドールから新首都ジョードプルへの遷都にあわせて築城された。メヘランガルとは「太陽の砦」を意味し、ジョードプル王家のラートール・ラージプートは「太陽の末裔」を自認し、インド神話『ラーマーヤナ』に系譜をさかのぼるという。またジョードプルは、年間を通して太陽が照り、明るい気候をもつことから「太陽の街」とも言われる。1947年の印パ分離独立まで、都ジョードプルを中心としたマールワール王国(藩王国)が存在し、その王であったマハラジャの一族は今でも市街南東のウメイド・バワン・パレスに暮らしている。

ラージプートとは

インドの民を守る、古代クシャトリアの末裔を自認する騎士階級のラージプート(実際は5世紀、フン族とともにインドに侵攻してきた外来民族の子孫とされる)。ラージプート諸族はそれぞれ血縁で結びついた氏族を中心に王朝をつくり、王は一族の首長、その兄弟や一族が王をとりまく貴族を構成した。ラージプートは8〜12世紀、氏族ごとに北インドにいくつもの王朝を築いたが、中世以降のイスラム勢力のインド侵入を前に、氏族を越えてまとまることができず、個別に敵にあたり、敗れ去っていった(アヘンを吸引し、戦場へ向かったという)。ラジャスタン地方はこうしたラージプート諸族の末裔が暮らす「王の土地」と知られる。ラージプートの各氏族は覇権を争い、なかでもラートール氏族のマールワール王家(ジョードプル)、カチワハ氏族のアンベール王家(ジャイプル)、シソーディア氏族のメーワール王家(ウダイプル)がラージプート御三家とされる(またジョードプルを建設したラオ・ジョーダ王の6男ラオ・ビーカジーは、分家してビカネールをつくった)。ジョードプルではバラモンを意味する「青色」、ジャイプルは歓迎を意味する「ピンク色」、ウダイプルは湖に映える「白色」に街が彩られ、各王家は1000年ものあいだ半独立状態にあったことから、それぞれ異なる独自の文化をもつ。

マールワール地方とは

ラジャスタン州の北東から南西にかけて走るアラヴァリ山脈の東側が湿潤地帯、西側が砂漠地帯となる。ジョードプルはラジャスタン中央西部に位置し、ここから西は本格的にタール砂漠が広がる。このタール砂漠のなかにあるジョードプルを中心とした地域をマールワール地方と呼び、マールワールとはサンスクリット語で「砂漠(死)の地」を意味するマルワトからとられている(マルとは「水のない」という意味)。藩王国時代は、ラージプタナ(ラジャスタン)でもっとも大きな藩王国だったところで、その4分の1の面積を占めた。近代以降、このマールワール地方からイギリス領インドのコルカタやムンバイに進出したマールワーリー商人も知られ、彼らは共通したラジャスタンの

鍵盤楽器ハルモニウムを演奏する砂漠の音楽師

窓枠にほどこされた繊細な彫刻、メヘランガル・フォートにて

そびえ立つメヘランガル・フォートはジョードプルのシンボル

旧市街の建物は青く塗られている

マールワーリー語を利用し、強い血縁、地縁ネットワークをもっていた(マールワーリー語では「カンマ・ガニ＝こんにちは」とあいさつするという)。4世紀のマンドール、8世紀のオシアンというようにマールワール地方の中心は遷り、15世紀以後はジョードプルが政治、文化、経済の中心地となっている。

ジョードプルの構成

ジョードプルは「バクルチェリア(鳥の山)」と呼ばれる台地上にそびえるメヘランガル・フォートと、その城下町である城郭都市(旧市街)を中心に発展してきた。旧市街には階段井戸やヒンドゥー寺院などが残り、街の建物は青く塗られていることから、「ブルー・シティ」の愛称で呼ばれる。ジョードプルの北と西は砂漠や丘陵地帯であるため、19世紀に入ってから、街の南側と東側が新市街として発展するようになった。旧市街南門外に鉄道駅が造営され、20世紀初頭、東門外に行政庁舎や裁判所、公園、動物園などからなる新区画が開発された。この時代、メヘランガル・フォートと対置するようにチットールの丘にウメイド・バワン・パレスが築かれ、やがて街は郊外に拡大した。ジョードプル郊外には、この街に遷都する以前の都がおかれていたマンドール、マハラジャの離宮レイクパレスなども位置する。ジョードプルは北のビカネール、西のジャイサルメール、東のアジメール、南のウダイプルへ続く要衝でもあり、街は隊商交易の中継点として栄えてきた。

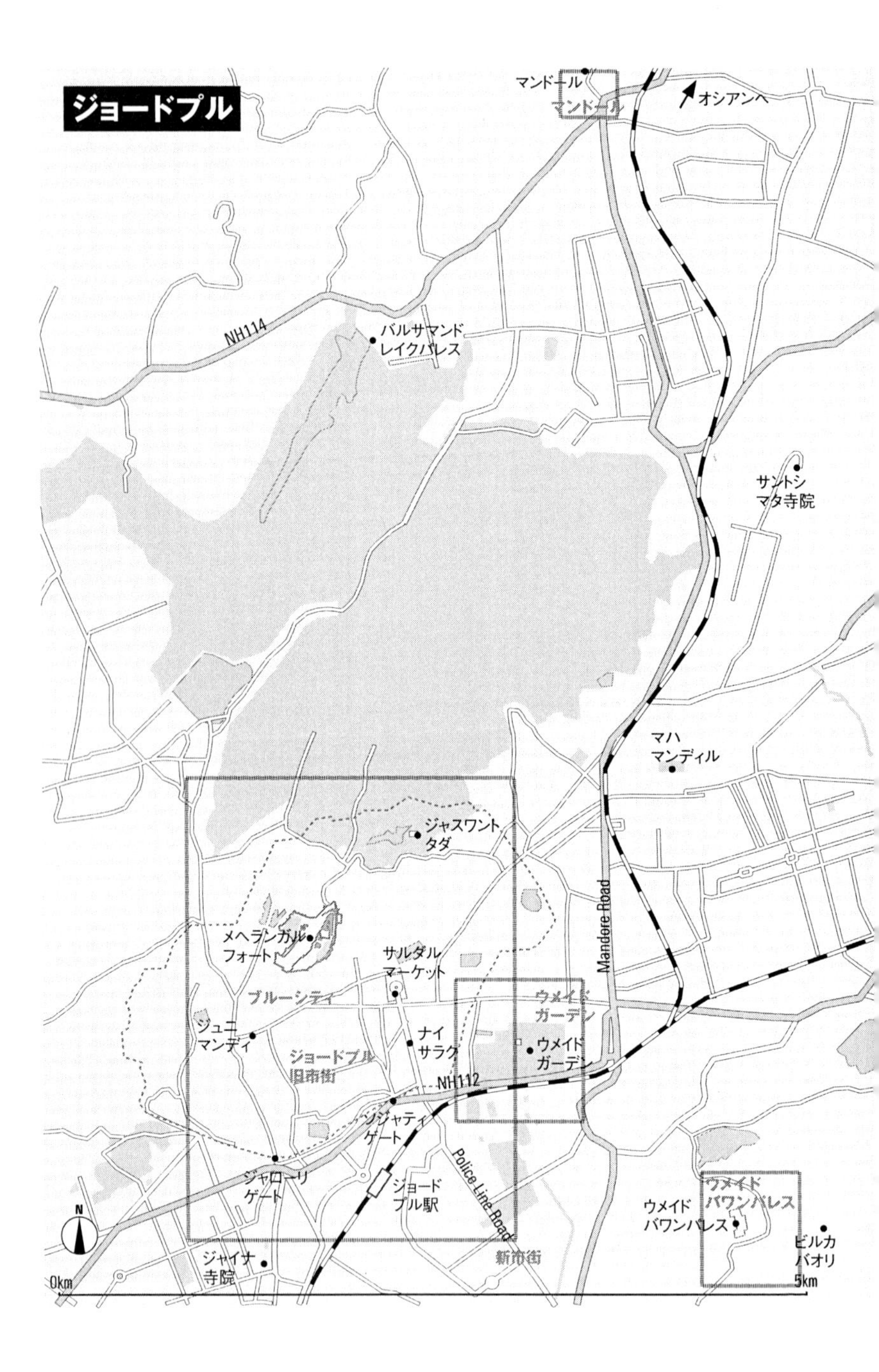

ジョードプル
マンドール
マンドール
オシアンへ
NH114
バルサマンド
レイクパレス
サントシ
マタ寺院
マハ
マンディル
ジャスワント
タダ
Mandore Road
メヘランガル
フォート
サルダル
マーケット
ブルーシティ
ウメイド
ガーデン
ジュニ
マンディ
ナイ
サラク
ウメイド
ガーデン
ジョードプル
旧市街
NH112
ソジャティ
ゲート
ジャローリ
ゲート
ジョード
プル駅
Police Line Road
ウメイド
バワンパレス
ウメイド
バワンパレス
N
ジャイナ
寺院
新市街
ビルカ
バオリ
0km
5km

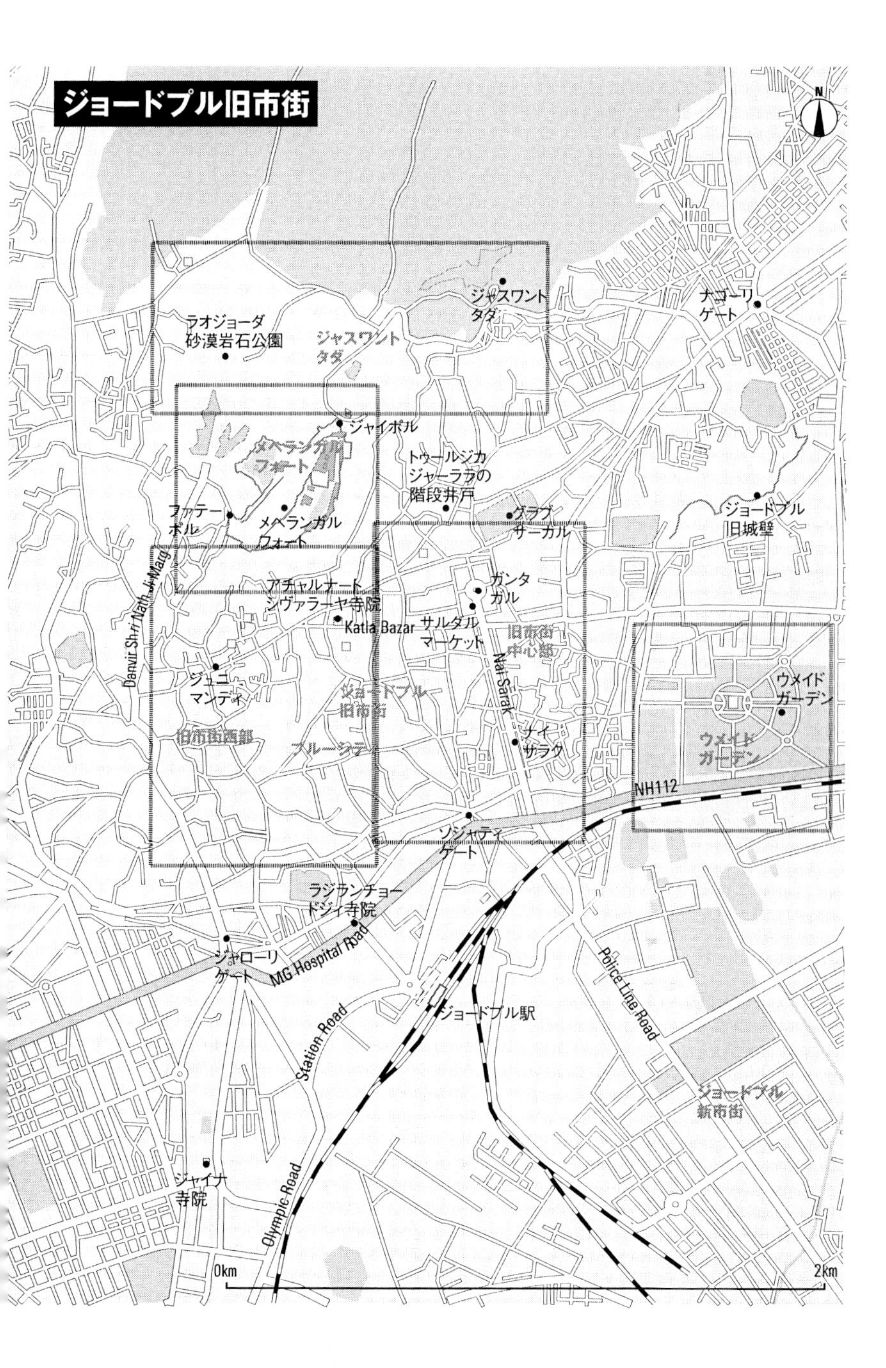
ジョードプル旧市街
N
ジャスワント
タダ
ナゴーリ
ゲート
ラオジョーダ
砂漠岩石公園
ジャスワント
タダ
ジャイポル
メヘラーンガル
フォート
トゥールジカ
ジャーララの
階段井戸
ジョードプル
旧城壁
ファテー
ポル
メヘランガル
フォート
グラブ
サーカル
ガンタ
ガル
アチャルナート
シヴァラーヤ寺院
Katla Bazar
サルダル
マーケット
旧市街
中心部
Danvir Shri Nath Ji Marg
ジュニ
マンディ
ジョードプル
旧市街
Nai Sarak
ウメイド
ガーデン
旧市街西部
ブルーシティ
ナイ
サラク
ウメイド
ガーデン
NH112
ソジャティ
ゲート
ラジランチョー
ドジィ寺院
ジャローリ
ゲート
MG Hospital Road
ジョードプル駅
Station Road
Police Line Road
ジョードプル
新市街
ジャイナ
寺院
Olympic Road
0km
2km

★★★

メヘランガル・フォート *Mehrangarh Fort*
ジャスワント・タダ *Jaswant Thada*
ジョードプル旧市街 *Old Jodhpur*
ウメイド・バワン・パレス *Umaid Bhawan Palace*
マンドール *Mandore*

★★☆

サルダル・マーケット *Sardar Market*
トゥールジ・カ・ジャーララの階段井戸 *Toorji Ka Jhalra Bavdi*
アチャルナート・シヴァラーヤ寺院 *Achal Nath Shivalaya Mandir*
ジュニ・マンディ *Juni Mandi*
ラジ・ランチョードジィ寺院 *Raj Ranchhodji Mandir*
ウメイド・ガーデン *Umed Garden*
ビルカ・バオリ *Birkha Bawari*
マハ・マンディル *Maha Mandir*

★☆☆

ジャイ・ポル（勝利の門） *Jai Pol*
ラオ・ジョーダ砂漠岩石公園 *Rao Jodha Desert Rock Park*
ナイ・サラク *Nai Sarak*
ファテー・ポル（勝利の門） *Fateh Pol(Gate of Victroy)*
ガンタ・ガル（クロック・タワー） *Ghanta Ghar*
グラブ・サーガル *Gulab Sagar*
ジョードプル旧城壁 *Old City Walls*
ジャローリ・ゲート *Jalori Gate*
ソジャティ・ゲート *Sojati Gate*
ジョードプル・ジャンクション鉄道駅 *Jodhpur Junction Railway Station*
ジョードプル新市街 *New Jodhpur*
ベール・バーグ・ジャイナ寺院 *Bheru Bagh Parshbnath Jain Mandir*
バルサマンド・レイク・パレス *Balsamand Lake Palace*
サントシ・マタ寺院 *Santoshi Mata Mandir*

Mehrangarh Fort

メヘランガルフォート鑑賞案内

異民族の侵入があいついできた西インド
固い守りを誇るメヘランガル・フォートは
インド最大の城と言われ、城砦内に宮殿が連続する

メヘランガル・フォート ★★★

Mehrangarh Fort／Ⓗ मेहरानगढ़ दुर्ग／Ⓤ مہران گڑھ قلعہ

周囲からせりあがった高さ125mの台地上にそびえ、ジョードプルの街のいたるところから見られる赤砂岩の堂々としたメヘランガル・フォート。メヘランガルとは「太陽の城(mihirのガル)」を意味し、ジョードプル王家の祖先とされる太陽(ラーマ)からその名前がつけられている。最大30mの城壁をめぐらせた砂岩の城は、ひとつの巨大な塊のようで、1900年、作家ラドヤード・キップリングによって「天使、妖精、巨人の作品」「巨人によって建てられた」とたたえられた。もともとジョードプル王家の都はマンドールにあったが、1459年、ラオ・ジョーダ(在位1453〜88年)によってこの地に遷され、メヘランガル・フォートも造営された。その後、マールデーオ王(在位1531〜62年)が、メヘランガル・フォートの城門と城壁を整備した(1544年にスール朝シェール・シャーによってデリーで1年拘束されたのち、ジョードプルに戻ってきて、二度と敗北しないようにこの城砦を強化した)。18世紀なかばまで次々に宮殿や建物が加えられ、アジット・シン(在位1707〜24年)の時代に現在の姿になった。マハラジャや王妃が暮らした宮殿、宝物庫、寺院が残り、マハラジャの使った輿、家具や武器、楽器、大砲など、この地方の貴重な宝物を展示

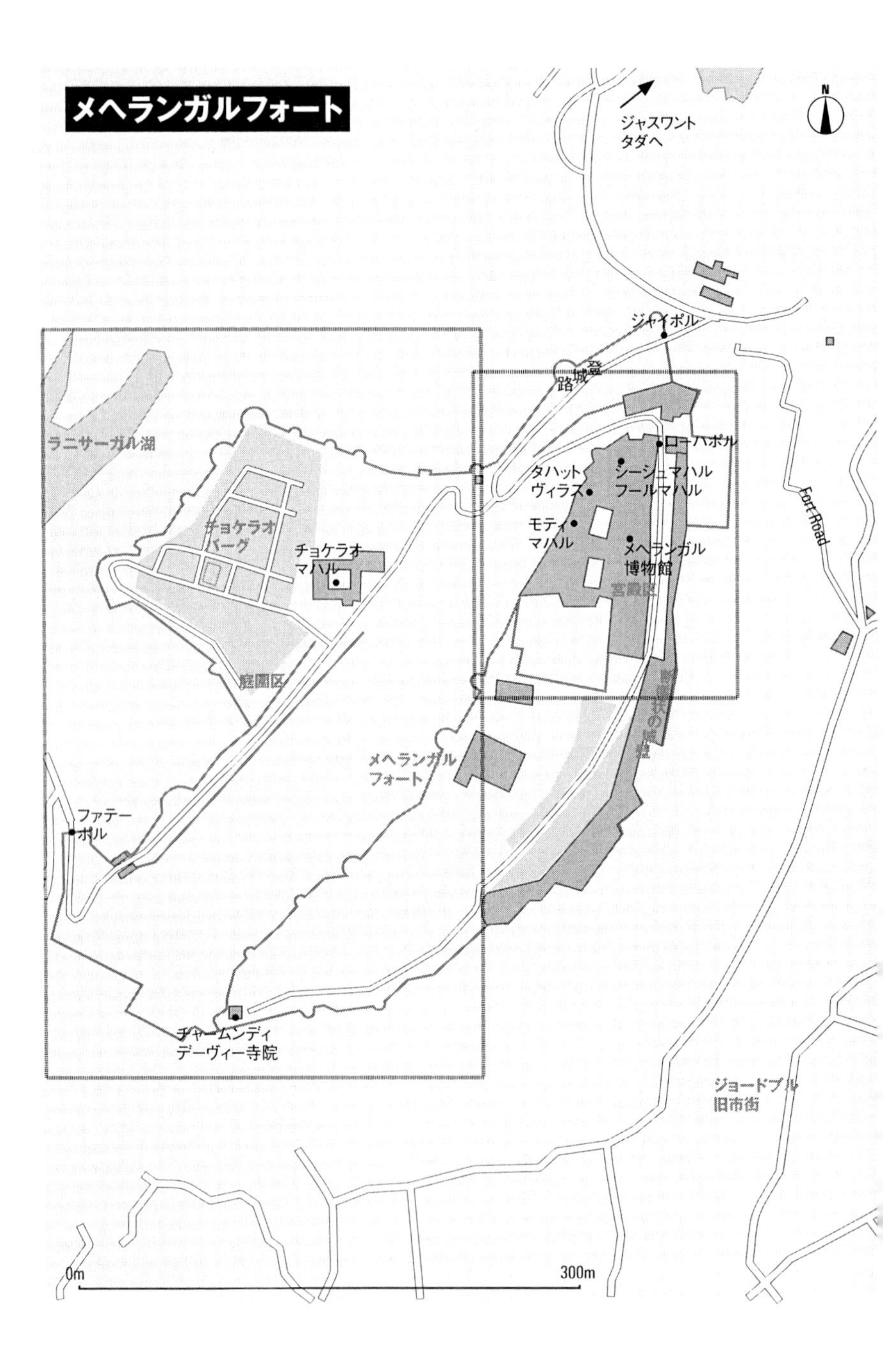
メヘランガルフォート
N
ジャスワント
タダへ
ジャイポル
登城路
ローハポル
タハット
ヴィラス
シーシュマハル
フールマハル
モティ
マハル
メヘランガル
博物館
宮殿区
Fort Road
ラニサーガル湖
チョケラオ
バーグ
チョケラオ
マハル
庭園区
メヘランガル
フォート
ファテー
ポル
チャームンディ
デーヴィー寺院
ジョードプル
旧市街
0m
300m

する博物館でもある。

メヘランガル・フォートの構成

台地上に築かれたメヘランガル・フォートは長さ450m、幅225mの規模をもち、そのなかにいくつもの宮殿、寺院、庭園が展開する複合建築体となっている。東（北）側の宮殿区にはシーシュ・マハル、フール・マハル、モティ・マハルなど、各時代のマハラジャたちの建てた宮殿が残り、西（南）側には王家の守護神をまつったチャームンダ・デーヴィー女神寺院、チョケラオ・バーグやメヘランガル・フォートの水源となっていたラニ・サーガル湖が残る。16世紀、ジョードプルのマールワール王国は最盛期を迎え、メヘランガル・フォートは当時の宗主国であったムガル建築の影響を受けている。イスラム教のムガル様式とラージプート様式が融合し、中庭をもつハーヴェリーと呼ばれる建築や、隅の垂れさがった屋根はムガル建築で、窓枠や柱、壁面にほどこされた精緻な彫刻はラージプート建築となっている。これらの建築素材には、茶、赤、ピンク、クリーム色といったこの地方で産出された砂

★★★
メヘランガル・フォート *Mehrangarh Fort*
ジョードプル旧市街 *Old Jodhpur*

★★☆
メヘランガル博物館 *Mehrangarh Museum*
ローハ・ポル（鉄の門） *Loha Pol*
シーシュ・マハル *Sheesh Mahal*
フール・マハル *Phool Mahal*
モティ・マハル *Moti Mahal*
チャームンダ・デーヴィー寺院 *Chamundaji Mandir*

★☆☆
ジャイ・ポル（勝利の門） *Jai Pol*
メヘランガル・フォート城壁 *Wall*
タハット・ヴィラス *Takhat Villas*
チョケラオ・マハル *Chokhelao Mahal（Chokhelao Bagh）*
ファテー・ポル（勝利の門） *Fateh Pol（Gate of Victroy）*
ラニ・サーガル湖 *Rani Sagar*

岩が使われている。

太陽の砦のはじまり

ラートール・ラージプート族(ジョードプル王家)の都は、ジョードプルの北8㎞のマンドールにあった。即位したラオ・ジョーダ(在位1453〜88年)は、1459年、バクルチェリア(鳥の山)という台地のそびえるこの地に新たに城をつくることを決めた(エディアカランカンブリア紀のジョードプル砂岩でできた台地)。当時、「鳥たちの主(チェリア・ナツジ)」という仙人が、丘のうえの洞窟で暮らしていた。ジョーダは、仙人のための家を山麓(街)に建て、仙人の洞窟の近くにチャームンダ・デーヴィー女神寺院を建立した。こうしてラートール族の祖先「太陽(メヘル)」の名前のついたメヘランガル・フォートと、王家の守護者であるチャームンダ・デーヴィー女神をまつる寺院が建てられ、その山麓にジョーダ自身の名前を冠したジョードプルの街がつくられていった。メヘランガル・フォートはのちに増改築が進んだため、ジョーダのときのものは残っていないが、500年以上にわたって城砦は壮大なたたずまいを見せている。

マハラジャと豪奢な生活

メヘランガル・フォートではダイヤ、ルビー、真珠といった宝石、象牙を散りばめ、高級の香木をたくなど、贅のかぎりを尽くした王族の生活があった。マハラジャの後宮にはインド中から数百人の美女が集められ、そのなかの少人数だけが「マハラニ」とされた。マハラジャ一族はチーターを使って猛獣狩りに出かけるなど武勇でも知られ、1947年のインド独立後、平民になったあとも人びとからジョードプルのマハラジャとして親しまれている。

マハラジャが乗った金色の輿

旧市街のいたるところから見えるメヘランガル・フォート

刀を肌身離さないラージプート男性

ステンド・グラスから光が差しこむ、タハット・ヴィラスにて

またジョードプルでは高さのあるターバンが着用され、王族のものは宝石や羽をかざるなど、ターバンや服装がその人の職業、社会的地位、出身地などを示したという。

メヘランガル博物館 ★★☆

Mehrangarh Museum ㋪ मेहरानगढ़ संग्रहालय ㋒ مہران گڑھ میوزیم

メヘランガル・フォートは、マハラジャやジョードプル王家の収集したコレクションを展示するメヘランガル博物館としても開館している。象やラクダに乗るときの装飾された座席「ハウダー（輿）」、そのなかでも1657年にムガル帝国の皇帝シャー・ジャハンからジョードプルのマハラジャ・ジャスワント・シンに送られた銀製のハウダーが名高い。またマールワール王族の使用した豪華な木製や金属製の「パランキン（籠）」も有名で、象牙、金、銀、織りものなどで彩られている。ジョードプルの武器、織物、装飾芸術、絵画、写本などを展示する「ダウラット・カーナ」、マールワール派の細密画がならぶ「ペインティング・ギャラリー」、絨毯や衣装などの繊細な刺繍が見られる「テキスタイル・ギャラリー」、ジョードプル王族の使った剣、甲冑などの武器や防具が展示された「アーミー・ギャラリー」もあり、宮殿地区全体が博物館となっている。

Palace

宮殿区鑑賞案内

メヘランガル・フォートの東（北）側が宮殿区
いくつも宮殿（マハル）が連なり
上部からは街全体の景色が目に入る

ジャイ・ポル（勝利の門） ★☆☆

Jai Pol ㋪जय पोल／㋒جے پول

メヘランガル・フォートの正門にあたるジャイ・ポル（勝利の門）。マハラジャ・マン・シン（在位1803～43年）が敵対するジャイプル軍との戦いに勝利したことから、名づけられた。このジャイ・ポル（勝利の門）から、ローハ・ポル（鉄の門）まで7つの門がならび、鉄壁の防御体制をもつ。これらは他国との戦争に勝利したときなどに増築されていったもので、第2門にはジャイプル軍が大砲で攻撃した痕跡が残っている。

ローハ・ポル（鉄の門） ★★☆

Loha Pol ㋪लोहा पोल　㋒لوہا پول

ジャイ・ポルから連続する城門群にあって、最後に立つのがローハ・ポル（鉄の門）。ラオ・マールデーオ（在位1531～62年）の1548年に建設がはじまり、完成したのはマハラジャ・ヴィジャイ・シン（在位1752～93年）時代の1752年のこと。このローハ・ポル門脇の壁には、マハラジャの死にあたって「サティー（寡婦殉死）」を行なった15人の妃の手形（掌紋）が残っている。

メヘランガルフォート宮殿区

『Stones in the sand : the architecture of Rajasthan』
（Giles Tillotson/Marg Publications）掲載図をもとに作成。
宮殿群はそれぞれ上下階に位置する。
本図版はモティ・マハル・チョウク階層の平面図。

寡婦殉死のサティー

先立った夫にしたがって生きたまま火中に身を投じる寡婦殉死をサティーという。サティーとはもともと「貞淑な妻」を意味するが、寡婦殉死そのものがサティーと見られるようになった。16世紀ごろ、宗教規範の観点から、ラージプート王族のあいだでサティー敢行が広まり、ジャスワント・シン（在位1637～80年）の死にあたって、8人の王妃がサティーを行なっている。寡婦は沐浴したあと、花嫁衣装に着替えてから火中に向かい、地上での結婚生活を終えて夫への貞節を守るのだという。一方で、女性の地位の低さや、迷信から来るインド社会の悪習とも考えられ、ジョードプルでは1847年にサティーは廃止された。

メヘランガル・フォート城壁 ★☆☆

Wall／Ⓗ मेहरानगढ़ दीवार／Ⓤ مہران گڑھ وال

1459年にメヘランガル・フォートが建てられたのち、ラオ・マールデーオ（在位1531～62年）によって整備された城壁。城壁の高さは6～45m、壁の厚さは3.5～5mで、断崖上の壮大な景観も見せる。稜堡には大砲がおかれているが、実際にはマハラジャやイギリスの総督のための礼砲（空

★★★

メヘランガル・フォート *Mehrangarh Fort*

★★☆

メヘランガル博物館 *Mehrangarh Museum*
ローハ・ポル（鉄の門） *Loha Pol*
シーシュ・マハル *Sheesh Mahal*
フール・マハル *Phool Mahal*
モティ・マハル *Moti Mahal*

★☆☆

メヘランガル・フォート城壁 *Wall*
タハット・ヴィラス *Takhat Villas*
サルダル・ヴィラス *Sardar Villas*
ジャンキ・マハル *Jhanki Mahal*
ディパック・マハル *Dipak Mahal*
シンガル・チョウク *Singar Chowk*
ムルリ・マノハル寺院 *Murli Manohar Mandir*

武器が展示されている

西欧を思わせるらせん階段がそなえられていた

砲）として使用された。

シーシュ・マハル ★★☆

Sheesh Mahal　Ⓗ शीश महल　Ⓤ شیش محل

細やかな鏡細工と装飾で壁面が彩られた「鏡の間」のシーシュ・マハル。マハラジャ・アジット・シン（在位1707年〜24年）が起居した場所で、マハラジャはムガル帝国アウラングゼーブ帝の死後、アジメールを奪還するなどマールワール王国の領土を広げた（1708年、対立していたジャイプルとメーワールという三者で同盟を結んだ）。宮殿内にはシヴァ・パールヴァティー、ガネーシャ、クリシュナ、ラーマ・シーター、ハヌマーンなどのヒンドゥー教の神々を描いたラージプート絵画のほか、木製の天井に19世紀になってからつるされたヨーロッパ製のシャンデリアも見える。

フール・マハル ★★☆

Phool Mahal／Ⓗ फुल महल／Ⓤ پھول محل

フール・マハルとは「花の間（フラワー・ホール）」を意味し、1724年に建てられた。マハラジャ・アベイ・シン（在位1724〜49年）の私的謁見殿として使われて、金色の柱が立ちならび、中央にマハラジャの席、その脇に王妃のための席が用意されている（踊り子たちが、その踊りでマハラジャを喜ばせたという）。周囲はグジャラートのアーメダバードからとり寄せた金細工と鏡、王の肖像画、ヴィシュヌとドゥルガー女神などが描かれた19世紀の壁画、ステンド・グラスの窓やスクリーンが見える。

タハット・ヴィラス ★☆☆

Takhat Villas　Ⓗ तखत विलास　Ⓤ تخت ولاس

マハラジャ・タフト・シン（在位1843〜73年）が起居した宮殿タハット・ヴィラス。ヒンドゥー教の神々からヨーロッパ女性まで、さまざまなテーマの絵画、ラージプート絵

クリシュナ神をまつったムルリ・マノハル寺院

見事な鏡細工で彩られたシーシュ・マハル

7つの門が連なる登城路

画が天井から壁面に描かれている。また青と金色を基調とした室内は、ヨーロッパの影響がうかがえる。マハラジャ・タフト・シンは1857～58年の大反乱のときに、イギリス人をフォート内で保護したという。

サルダル・ヴィラス ★☆☆

Sardar Villas　Ⓗसरदार विलास／Ⓤسردار ولاس

18世紀に建てられた宮殿のサルダル・ヴィラス。その後、改装され、木製のドアや窓の枠などで精緻な手工芸がほどこされている（漆が塗料に使用され、象牙細工も見られる）。それらは19世紀のマールワール地方の手工芸技術の高さを示すものだという。

ジャンキ・マハル ★☆☆

Jhanki Mahal　Ⓗझाँकी महल　Ⓤجھانکی محل

マハラジャ・タフト・シン（在位1843～73年）によって建設されたジャンキ・マハル。ジャンキとは「のぞき見る」を意味し、ここからジョードプルの王族女性が中庭の儀式をながめた。石製のスクリーン（窓）を「ジャーリー」と呼び、下からはなかを見ることはできず、なかからは下が見ることができるよう設計されている。これはちょうどジャイプルのハワ・マハルと同じ構造で、宮殿の奥に隔離（パルダ）されたラジャスタン女性が外の世界に触れられた。子どもや神さまを乗せた揺りかごやブランコもおかれている。

ディパック・マハル ★☆☆

Dipak Mahal　Ⓗदीपक महल／Ⓤدیپک محل

ジョードプル行政に関する執務が行なわれていたディパック・マハル。マハラジャ・アジット・シン（在位1707～24年）の創建で、マハラジャや官吏、徴税人がこの宮殿に集まって会議を開いたり、政策が決められた。のちにマハラジャ・タフト・シン(在位1843～73年)によって改装されている。

モティ・マハル ★★☆

Moti Mahal／Ⓗमोती महल／Ⓤموتی محل

メヘランガル・フォートを代表する宮殿で、「真珠の間」を意味するモティ・マハル。16世紀のサワイ・ラジャ・スール・シン(1595～1619年)時代に建てられ、マハラジャの一般謁見の間にあたった。モティ・マハルという名称は宮殿の壁にぬられた石炭、石膏の品質が高く、真珠のような光沢をしていることからつけられている。マハラジャや王族たちの坐ったクッション、鮮やかなステンド・グラス、鏡と金箔の天井などが見られ、壁や柱の黄金の装飾は1843年のタフト・シン時代に完成した。モティ・マハルの南側に隣接するのが1670年代に建てられたゼナナ宮殿で、王族女性たちがモティ・マハルでの話を聴くことができるようになっていた。

シンガル・チョウク ★☆☆

Singar Chowk／Ⓗश्रृंगार चौक／Ⓤشرنگار چوک

周囲に宮殿がならび、メヘランガル・フォートの中庭にあたるシンガル・チョウク。1751年、マハラジャ・バガット・シン(在位1751～52年)によって整備された。ジョードプル家の王子を任命するジョードプル・ハウスとして利用された。

ムルリ・マノハル寺院 ★☆☆

Murli Manohar Mandir　Ⓗमुरली मनोहर मंदिर／Ⓤمرلی منوہر مندر

メヘランガル・フォート宮殿区の南端に立つムルリ・マノハル寺院。クリシュナ神をまつるヒンドゥー寺院で、1759年、敬虔なヴィシュヌ派信者のマハラジャ・ヴィジャイ・シン(在位1752～93年)によって建てられた。

マールワール建築のクオリティの高さがうかがえる

Garden

庭園区鑑賞案内

メヘランガル・フォートの西（南）部は
寺院や庭園、湖が位置するエリア
台地上に城壁が伸びていく

チャームンダ・デーヴィー寺院 ★★☆

Chamundaji Mandir　㋪चामुंडा जी मंदिर　㋒چامنڈا جی مندر

メヘランガル・フォート南端に立つジョードプル王家の守護神をまつったチャームンダ・デーヴィー寺院。チャームンダ女神はドゥルガー女神の化身とされ、ジョードプル造営と同時期の1460年、この女神を信仰していたラオ・ジョーダ（在位1453～88年）によって建てられた（ジョードプル以前の都マンドールから、黒い石の女神像も遷された）。現在の寺院は16世紀のもので、その後の1857年、砦の弾薬庫に雷が落ちて300人が死亡した事故ののちにタフト・シン（在位1843～73年）によって再建された。願いを叶える女神として王族やジョードプルの人たちに帰依され、とくにナブラトラの祭りでは多くの人が集まり、讃歌が歌われ、音楽の演奏も行なわれる。

チョケラオ・マハル ★☆☆

Chokhelao Mahal（Chokhelao Bagh）／㋪चोखेलाव महल／
㋒چوکھلاو محل

メヘランガル・フォートの北麓に残るチョケラオ・マハル（チョケラオ・バーグ）。マハラジャ・タフト・シン（在位1843～73年）の宮殿として使われ、ここで王族女性と優雅なひとときを過ごした。宮殿（マハル）に隣接する庭園（バーグ）は、18

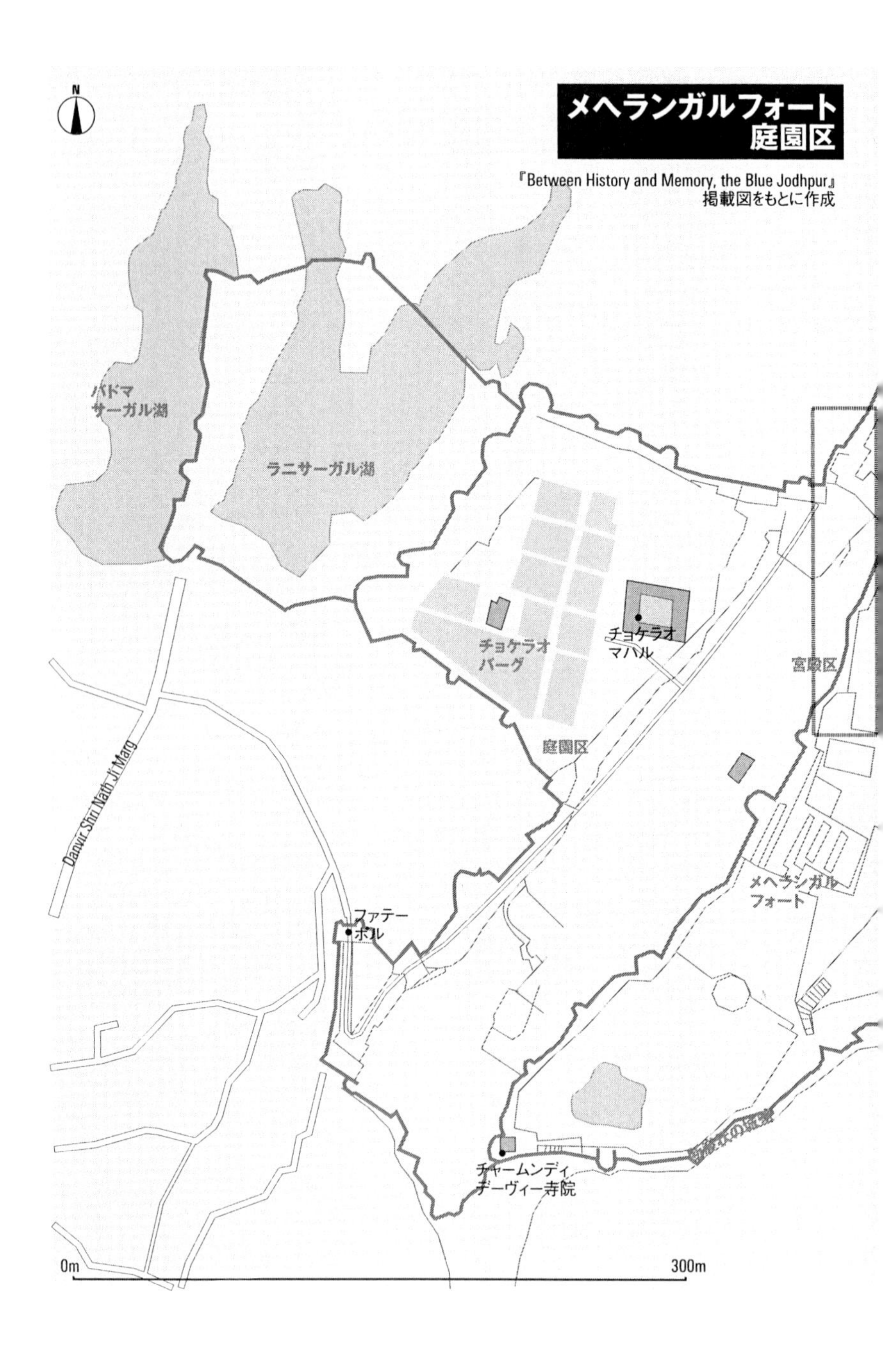

N
メヘランガルフォート
庭園区
『Between History and Memory, the Blue Jodhpur』
掲載図をもとに作成
パドマ
サーガル湖
ラニサーガル湖
チョケラオ
バーグ
チョケラオ
マハル
宮殿区
庭園区
Danvir Shri Nath Ji Marg
メヘランガル
フォート
ファテー
ポル
チャームンディ
デーヴィー寺院
0m
300m

世紀のマールワール庭園を今に伝え、四季折々の花が見られる。現在はラジャスターニー料理を出すレストランとなっている。

ファテー・ポル(勝利の門) ★☆☆

Fateh Pol (Gate of Victroy) /ⓗफतेह पोल ⓤفتح پول

メヘランガル・フォート西側、ジャイ・ポル(勝利の門)とともにもうひとつの正門となっているファテー・ポル(勝利の門)。1707年、マハラジャ・アジット・シン(在位1707～24年)によって30年におよぶラージプート戦争でムガル帝国に勝利した記念として建てられた。当時、ムガル帝国アウラングゼーブ帝(在位1658～1707年)がなくなると、マールワール王国(現在のジョードプル)はアジメールからその勢力を追い払い、王国の一部に加えていた。なお、ファテー・ポル建設と同時期の1727年にジャイプルが造営されている。

ラニ・サーガル湖 ★☆☆

Rani Sagar ⓗरानी सागर ⓤرانی ساگر

メヘランガル・フォート北西にたたずむ双子のようなラニ・サーガル湖とパドマ・サーガル湖。ラニ・サーガル湖(「女王の湖」)は、フォートの建設と同時期の1459年、ラオ・ジョーダの妻ジャスマード・ハディ王妃によって整備さ

★★★

メヘランガル・フォート *Mehrangarh Fort*

★★☆

チャームンダ・デーヴィー寺院 *Chamundaji Mandir*

★☆☆

チョケラオ・マハル *Chokhelao Mahal(Chokhelao Bagh)*
ファテー・ポル(勝利の門) *Fateh Pol(Gate of Victroy)*
ラニ・サーガル湖 *Rani Sagar*
パドマ・サーガル湖 *Padam Sagar*
メヘランガル・フォート城壁 *Wall*
ダンヴィール通り *Danvir Shri Nath Ji Marg*

れた（その後、マールデーオによって城壁のなかにとりこまれた）。より宮殿に近いこちらの湖の水は、王宮用として使われ、フォートへの貴重な水源となってきた。ふたつの堤防とガートが見える。

パドマ・サーガル湖 ★☆☆

Padam Sagar　ⓗ पद्म सागर　ⓤ پدم ساگر

ラニ・サーガル湖に隣接する双子状の湖のうち、西側のパドマ・サーガル湖。これらの湖群は1459年、谷間部に石積みのダムを建設したことで形成された。ラニ・サーガル湖の造営後、ラオ・ガンガ（在位1515～31年）のパドミニ王妃（メーワールのラナ・サンガの娘）によって整備されたことから、パドマ・サーガル湖の名前がある。ラニ・サーガル湖の水が宮廷用に使われたのに対して、こちらの湖はジョードプルの人びとのために使われた。

実際にマハラジャが使用した品々が展示されている

王家の守護神がまつられたチャームンダ・デーヴィー寺院

メヘランガル・フォートの周囲では荒涼とした大地が続く

幾重にも防御体制が整えられた堅牢な城

Jaswant Thada

ジャスワントタダ鑑賞案内

メヘランガル・フォート北東に立つジャスワント・タダ
ここからはメヘランガル・フォートの
壮大なたたずまいが見える

ラオ・ジョーダ王の像 ★★☆

Rao Jodha Ji Statue／ⓗराव जोधा जी की प्रतिमा／ⓤراؤ جودھا کا مجسمہ

1459年にジョードプルを築いたラオ・ジョーダ(在位1453～88年)の像。王家の都をマンドールからこの地に遷した王は、自身の名前をとってジョードプルと名づけた。小高い岩の丘陵に建てられた馬上の王は、力強くメヘランガル・フォートをさしている。

ジャスワント・タダ ★★★

Jaswant Thada　ⓗजसवंत थड़ा／ⓤجسونت تھاڑا

19世紀、ジョードプルをおさめたマハラジャ・ジャスワント・シン2世(在位1873～95年)の墓廟ジャスワント・タダ。白大理石(乳白色)による美しいたたずまいは「マールワールのタージ・マハル」とたとえられる。ジャスワント・シン2世はこの地方に跋扈していた盗賊を倒して王国の治安を安定させ、鉄道を建設するなど、ジョードプルの近代化を進めて、経済を発展させた名君として知られる。1899年、マハラジャの息子サルダル・シン(在位1895～1911年)によって建設され、死後の1906年に完成した。ヒンドゥー寺院風のシカラ屋根を中心に、周囲にチャトリを載せ、本体には大理石の複雑な彫刻がほどこされている。またジョードプルの歴代マハラジャの肖像画が展示されてい

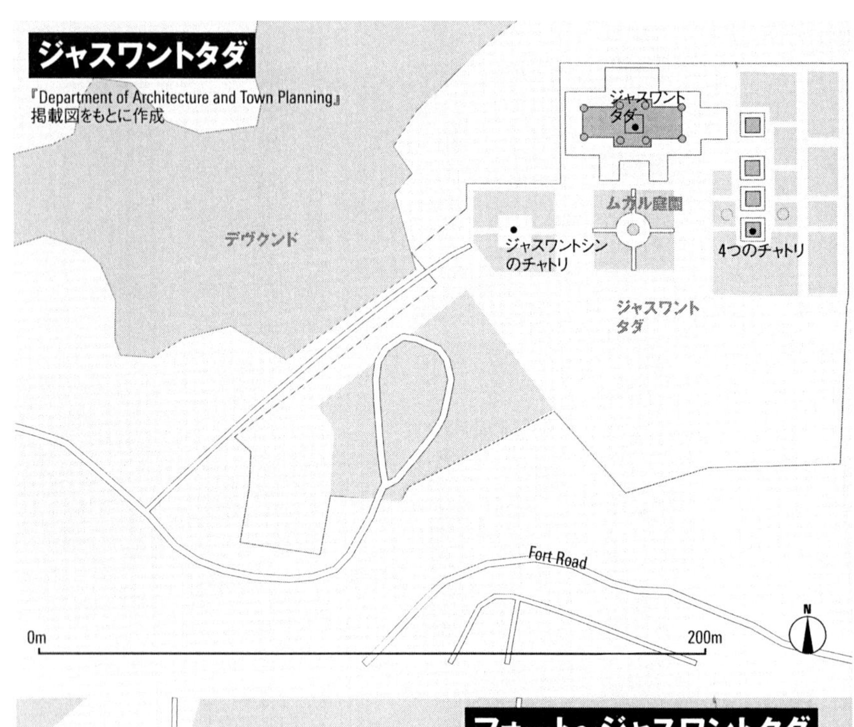
ジャスワントタダ
『Department of Architecture and Town Planning』
掲載図をもとに作成
ジャスワント
タダ
ムガル庭園
デヴクンド
ジャスワントシン
のチャトリ
4つのチャトリ
ジャスワント
タダ
Fort Road
N
0m
200m

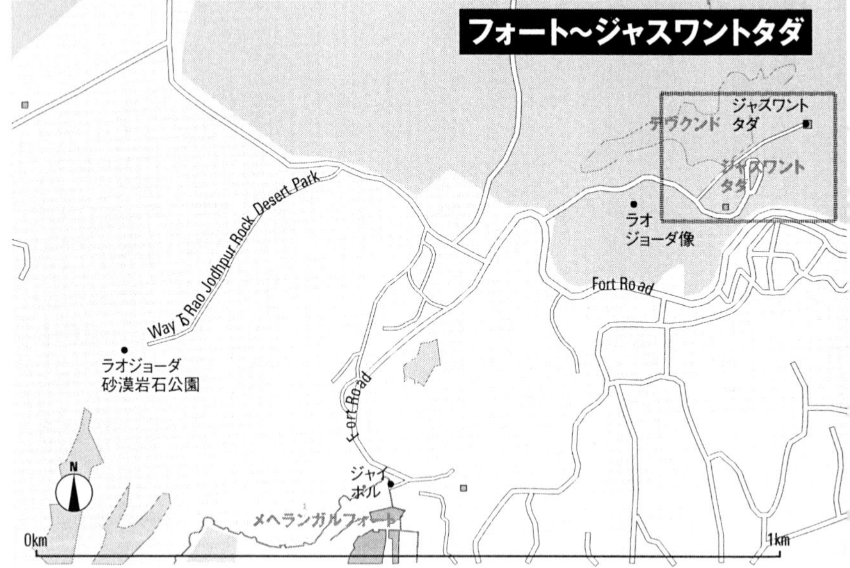
フォート～ジャスワントタダ
ジャスワント
タダ
デヴクンド
ジャスワント
タダ
ラオ
ジョーダ像
Fort Road
Way To Rao Jodhpur Rock Desert Park
ラオジョーダ
砂漠岩石公園
Fort Road
ジャイ
ポル
メヘランガルフォート
N
0km
1km

て、ラージプート族特有の先祖崇拝の儀式(プジャ)も行なわれる。ここジャスワント・タダからは雄大なメヘランガル・フォートが視界に入るほか、ジョードプル市街も一望できる。

ジョードプル王家の火葬場

メヘランガル・フォートから北東に1km離れたこの地の湖のほとりには、マハラジャ・アジット・シン(在位1707年〜24年)によって建てられた小さな宮殿があり、ジョードプル王家の火葬場がおかれていた。前代のマハラジャ・タフト・シン(在位1843〜73年)の火葬が行なわれたのち、続くマハラジャのジャスワント・シン2世(在位1873〜95年)の墓廟がここにつくられることになった(それ以前のマハラジャの墓廟は、マンドールに残る)。ジャスワント・シン2世死後の1895年に、メヘランガル・フォート北、数百メートルの台地に新たな火葬場がつくられた。

ジャスワント・タダの構成

デヴ・クンド(湖)のほとりに立つジャスワント・タダは、マハラジャの墓廟を中心としたチャトリ(亭)や庭園からなる複合建築となっている。本体はマクラナから運ばれた大理石が使用され、シカラ屋根のヒンドゥー寺院と、アーチ、ドームなどのイスラム建築が融合したスタイルとなっている。墓廟の前面には、ムガル式の四分割庭園が

★★★
ジャスワント・タダ *Jaswant Thada*
メヘランガル・フォート *Mehrangarh Fort*

★★☆
ラオ・ジョーダ王の像 *Rao Jodha Ji Statue*

★☆☆
ラオ・ジョーダ砂漠岩石公園 *Rao Jodha Desert Rock Park*
ジャイ・ポル(勝利の門) *Jai Pol*

配置され、楽園が示されている。また庭園を中心に西側にジャスワント・シンのチャトリ、東側にのちにジョードプルを統治した4人の王のチャトリが残る。

砂漠の大道芸人

村から村へと放浪を続けながら、音楽を演奏する砂漠の音楽師ボーパ。ボーパはジョードプルのほか、ジャイサルメールやグジャラートなどでも見られ、この地方の英雄譚を音楽にあわせて語りついできた。ボーパのもつラワナハータという弦楽器は、一説ではヒンドゥー神話でラーマ王子が退治した「魔王ラーヴァナの腕」を楽器にしたものとも言われている。ラワナは「魔王」、ハータは「楽器」を意味し、ラートール王家の祖先はラーマ王子を描いた『ラーマーヤナ』に系譜をさかのぼる。

ラオ・ジョーダ砂漠岩石公園 ★☆☆

Rao Jodha Desert Rock Park ㋪राव जोधा डेजर्ट रॉक पार्क／
㋒راؤ جودھا صحرائی راک پارک

メヘランガル・フォートの北側に広がるラオ・ジョーダ砂漠岩石公園。先カンブリア時代（5億9000万年以前）にさかのぼるというこの地の特異な地殻（岩石）や、砂漠の植物、花はじめ、約250種の在来植物、200種の鳥類、数種の爬虫類が見られる。2006年に整備される以前、この地にはアメリカ品種の低木が茂っていて、タール砂漠の自然にあわせた植物の栽培をはじめて現在の姿となった（かつてはクマも出没していたという）。70ヘクタールの広大な敷地面積をもつ。

白大理石の墓廟ジャスワント・タダ

ターバンはその人の属性を示す印だという

馬上はジョードプルの街をつくったラオ・ジョーダ王

弦楽器ラワナハータの演奏

Sardar Market

サルダルマーケット城市案内

ジョードプル旧市街は
メヘランガル・フォートをあおぐ城下町
路地や広場では人びとの暮らしぶりが見られる

ジョードプル旧市街 ★★★

Old Jodhpur ㋪ब्लू सिटी ㋒نیل شہر

1459年に築かれて以来の伝統をもつ太陽都市ジョードプルの旧市街。バラモンを意味する青色で建物は塗られ、街全体が青色をしていることから「ブルー・シティ」と呼ばれる（祭祀階級バラモンが住んでいる証だったが、現在はそれ以外の家も青く塗っているという）。迷路のように細い路地が入り組み、窓枠や柱に繊細な彫刻をほどこした邸宅ハーヴェリーやヒンドゥー寺院、階段井戸も見られる。ラオ・マールデーオ（在位1531～62年）時代に周囲10kmの城壁がめぐらされ、西のチャンドポール門、北のナゴーリ門、東のメリティア門、南の ソジャティ門、ジャローリ門、シワンチー門の6つの門があったが、1950年代に城壁は撤去され、現在は城門だけが残っている。ジョードプルはタール砂漠を往来する隊商の拠点で、シンド地方から米や麦、ジョードプル近郊のラクダ、毛皮、織物などが集まっていた（農耕民と牧畜民がここで商取引をした）。また遠くは中国やカシミールのシルクや薬をペルシャ、ヨーロッパへ運ぶ交易センターであった。

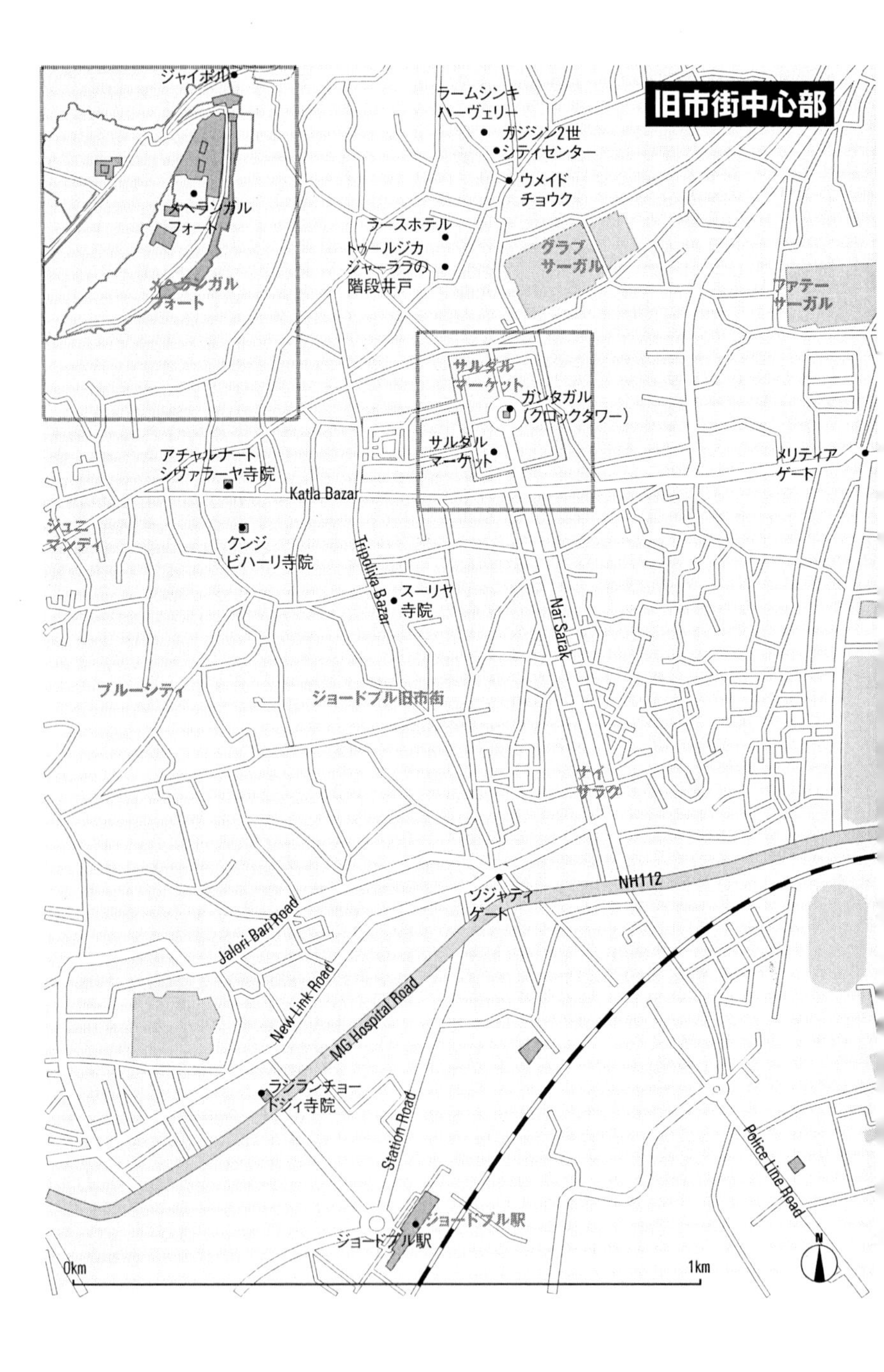

旧市街中心部
ジャイポル
メヘランガル
フォート
メヘランガル
フォート
ラームシンキ
ハーヴェリー
ガジシン2世
シティセンター
ウメイド
チョウク
ラースホテル
トゥールジカ
ジャーララの
階段井戸
グラブ
サーガル
ファテー
サーガル
サルダル
マーケット
ガンタガル
（クロックタワー）
サルダル
マーケット
メリティア
ゲート
アチャルナート
シヴァラーヤ寺院
Katla Bazar
シュニ
マンディ
クンジ
ビハーリ寺院
Tripoliya Bazar
スーリヤ
寺院
Nai Sarak
ブルーシティ
ジョードプル旧市街
ナイ
サラク
NH112
ソジャティ
ゲート
Jalori Bari Road
New Link Road
MG Hospital Road
ラジランチョー
ドジィ寺院
Station Road
Police Line Road
ジョードプル駅
ジョードプル駅
0km
1km
N

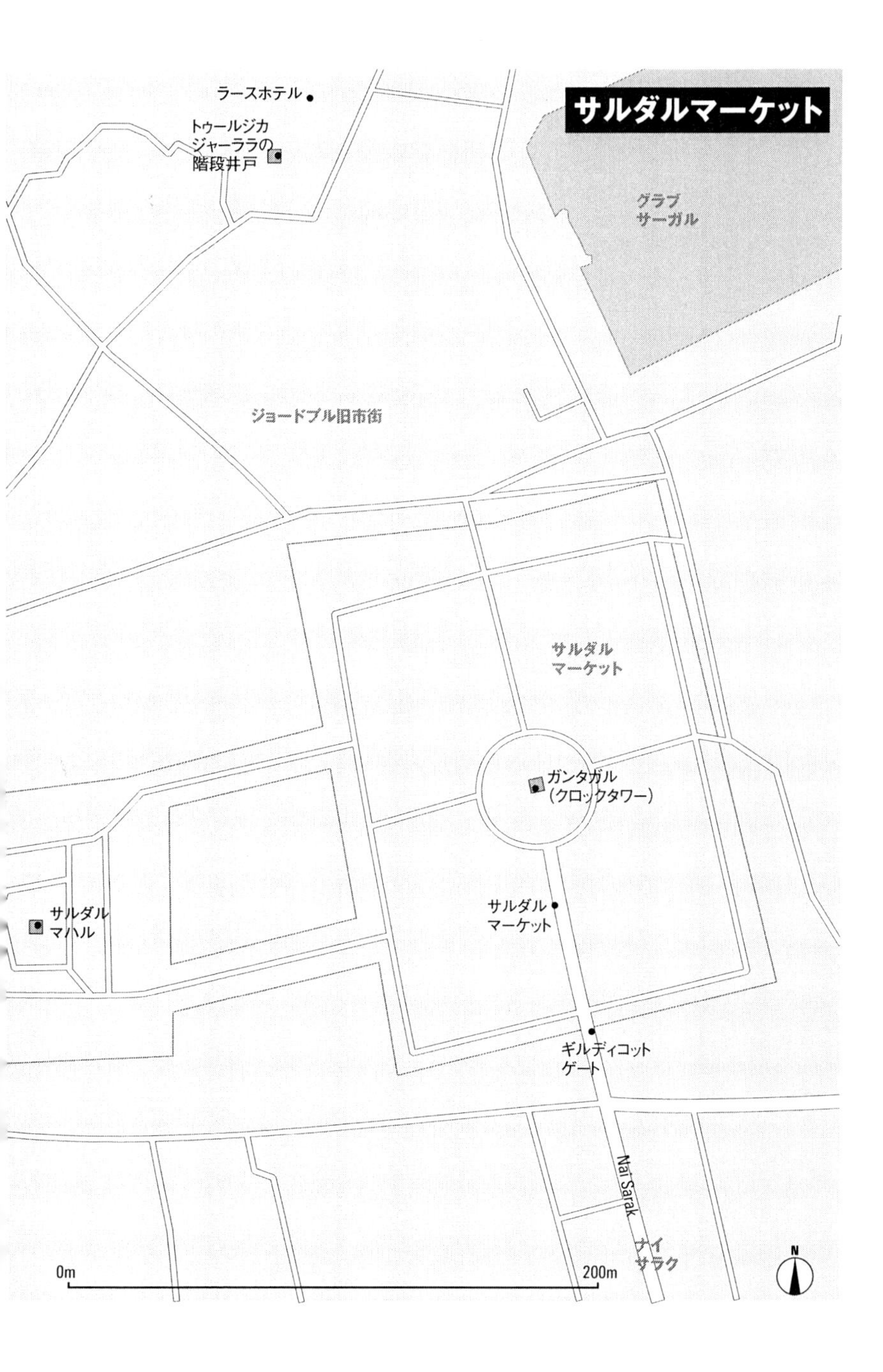
サルダルマーケット
ラースホテル
トゥールジカ
ジャーララの
階段井戸
グラブ
サーガル
ジョードプル旧市街
サルダル
マーケット
ガンタガル
（クロックタワー）
サルダル
マーケット
サルダル
マハル
ギルディコット
ゲート
Nai Sarak
ナイ
サラク
0m
200m
N

砂漠にたたずむ青の都

街全体が青く塗られた特異な景観をもつ「ブルー・シティ」のジョードプル(「ピンク・シティ」のジャイプル、「ゴールデン・シティ」のジャイサルメールと対比してこう呼ばれる)。ジョードプルの住居が青色に塗られたのは、この街に暮らす司祭階級バラモンが自らの社会的地位の高さを示す標としたことをはじまりとする。藍色の染料や銅(硫酸塩)などをもちいて塗りあげられ、家のなかは夏でも涼しさをたもてるのだという。ジョードプルのように街全体が青色に塗られている例として、チェフチャウエン(モロッコ)、ユスカル(スペイン)、シディブサイド(チュニジア)、サントリーニ島(ギリシャ)などがあげられる。

★★★

メヘランガル・フォート *Mehrangarh Fort*
ジョードプル旧市街 *Old Jodhpur*

★★☆

サルダル・マーケット *Sardar Market*
トゥールジ・カ・ジャーララの階段井戸 *Toorji Ka Jhalra Bavdi*
アチャルナート・シヴァラーヤ寺院 *Achal Nath Shivalaya Mandir*
ジュニ・マンディ *Juni Mandi*
ラジ・ランチョードジィ寺院 *Raj Ranchhodji Mandir*

★☆☆

ジャイ・ポル(勝利の門) *Jai Pol*
ナイ・サラク *Nai Sarak*
ギルディコット・ゲート *Girdikot Gate*
ガンタ・ガル(クロック・タワー) *Ghanta Ghar*
ラース・ホテル *Raas Hotels*
グラブ・サーガル *Gulab Sagar*
ウメイド・チョウク *Umaid Chowk*
マハラジャ・ガジ・シン2世シティ・センター *Maharaja Gajsingh II City Centre*
ラームシン・キ・ハーヴェリー *Ram Singh Ki Haveli*
クンジ・ビハーリ寺院 *Kunj Bihari Mandir*
トリポリア・バザール *Tripolia Bazar*
スーリヤ寺院 *Surya Mandir*
ソジャティ・ゲート *Sojati Gate*
ジョードプル・ジャンクション鉄道駅 *Jodhpur Junction Railway Station*

ナイ・サラク ★☆☆

Nai Sarak　㋪नई सड़क／㋒نئی سڑک

ナイ・サラクはサルダル・マーケットから南に走るジョードプルのメイン・ストリート。「新しい道路」を意味し、1970年代後半に新市街と旧市街中央部を結ぶために整備された（入り組んだ旧市街中央部に入るための、利便性をあげるために大きくまっすぐな道をつくって、サルダル・マーケットへのアクセスをよくした）。通りの両脇には、ジョードプル名物の靴（サンダル）店、家具店、ホテル、レストラン、スイーツ店、映画館などがならぶ。ナイ・サラクは、線路をこえて南側の新市街へと続いていく。

ギルディコット・ゲート ★☆☆

Girdikot Gate　㋪गिरडीकोट द्वार／㋒گرڈی کوٹ گیٹ

サルダル・マーケットの南門にあたるギルディコット・ゲート。イワンをもち、上部は見晴らし台となっている。ジョードプルのハーヴェリーを思わせる窓枠がそなえられていて、彫刻がほどこされている。

サルダル・マーケット ★★☆

Sardar Market／㋪सरदार मार्केट／㋒سردار مارکیٹ

旧市街の中心に位置するジョードプル最大の市場サルダル・マーケット（時計塔市場）。ジャスワント・シン2世（在位1873～95年）の息子マハラジャ・サルダル・シン（在位1895～1911年）によって整備されたことから、この名前があり、藩王国時代以来の伝統をもつ。ギルディコット・ゲートからなかに入ると、雑貨や刺繍の革靴店、サリーや布地の衣料店、銀のジュエリーや象がん細工などの宝石店、野菜、果物、ドライフルーツやナッツといった食料品店、両替商まで約7000という店舗がならぶ。また近くにはレッドチリパウダー、ターメリック、サフランなどのスパイス・マーケット、竹製品を売るバンブー・マーケット、ラッシー店やサンドイッチ店などの軽食店も立つ。

ガンタ・ガル（クロック・タワー）★☆☆
Ghanta Ghar／ⓗघंटाघर　ⓤگھنٹہ گھر

サルダル・マーケットの中央に立ち、ジョードプル旧市街のシンボルとなっているガンタ・ガル（クロック・タワー、時計塔）。1880〜1911年、バザール同様マハラジャ・サルダル・シン（在位1895〜1911年）によって造営された。5層からなる塔の上部に時計がついていて、頂部にはドームが載る。ここは旧市街と新市街を結ぶ、象徴的意味合いを果たしている。

ジョードプルの食べ物

料理に大量のギーを入れるダルバティ、小麦と砂糖の料理チュルマをはじめとしたラジャスタン料理が食べられているジョードプル。また揚げドーナッツのマワ・カチョリ、ビーサン・チャーキ、マーカン・バーデなどの甘いものも好んで食べられる（ジョードプルでは最初に甘いものを食べてからほかの料理を食べはじめるという）。乾燥した気候にあわせるように、ラッシーやヨーグルト、フルーツ、アイスクリーム、サトウキビジュースも親しまれている。

トゥールジ・カ・ジャーラ ラの階段井戸 ★★☆
Toorji Ka Jhalra Bavdi／ⓗतूरजी का झालरा बावड़ी／ⓤتورجی کا جھلرا باوری

ジョードプル旧市街の中心に残るトゥールジ・カ・ジャーララの階段井戸。階段井戸とは西インドでとくに発展した様式で、雨水をためておき、底に向かって階段が続くところからどの水位でも水がとれるようになっている。トゥールジ・カ・ジャーララの階段井戸は、マールワール王国マハラジャ・アベイ・シン（在位1724〜49年）の女王によって1740年代に建てられた。タール砂漠にあるこの街

ラッシーを味わう夫婦

鮮やかなポスターが飾られている、ナイ・サラクにて

旧市街のシンボル、ガンタガル（クロック・タワー）

色とりどりの野菜がならぶバザール

では、水の管理は女性にとって大切な仕事で、飲料水用の貯水池としてこの階段井戸は使われていた（井戸からくんだ水のつぼを頭に載せて運ぶラジャスタン女性の姿もしばしば見られる）。長らく水没して使われていない状況だったが、2010年代以降、新たに整備され、神々や動物の彫像、噴水などが発見された。四角形のプランの一方がイワンをもち、残りの三方から階段が地下に伸びていく様式で、雨水を一滴残らず保全する工夫があるほか、この階段井戸自体に聖性が宿ると考えられている。

ラース・ホテル ★☆☆

Raas Hotels ㋪रास होटल／㋒راس ہوٹل

トゥールジ・カ・ジャーララの階段井戸の背後に立つラース・ホテル。マールワール王国時代の18世紀に建てられた赤砂岩製のハーヴェリーを改装したホテルとして利用されている。18世紀末の絨毯の部屋「ダリカーナ」、12本の柱をもつ1850年代の領主邸宅「バラダリ」、小さなヒンドゥー寺院など、美しい中庭をもつ複合邸宅建築となっている。ラース・ホテルの背後にはメヘランガル・フォートが見える。

グラブ・サーガル ★☆☆

Gulab Sagar ㋪गुलाब सागर／㋒گلاب ساگر

ジョードプル旧市街の中央部に残る東西150m、南北90mほどの貯水池グラブ・サーガル。1788年、ヴィジャイ・シン（在位1752～93年）のパスワン（妾）であったグラブ・ライによって造営された（妃の名前でもあるグラブ・サーガルとは「バラの湖」を意味する）。約8年の月日をかけてバルサマンド・レイクから運河で水を運んできた。この湖のそばにはクリシュナをまつるクンジェ・ビハーリ寺院が立つ。

ウメイド・チョウク ★☆☆

Umaid Chowk／㋪उम्मेद् चौक ㋒امید چوک

グラブ・サーガルの北側に位置する広場ウメイド・チョウク。近くにはジョードプル藩王国時代のハーヴェリーが残り、街歩きの起点となる。

マハラジャ・ガジ・シン2世シティ・センター ★☆☆

Maharaja Gajsingh II City Centre／㋪महाराजा गजसिंह द्वितीय सिटी सेंटर ㋒مہاراجہ گج سنگھ سٹی سینٹر

ジョードプルの第38代マハラジャ・ガジ・シン2世の名前を冠したマハラジャ・ガジ・シン2世シティ・センター。ジョードプルの遺産保護、観光や文化情報を発信し、建築は青色で壁面をぬりあげられたハーヴェリー様式となっている。

ラームシン・キ・ハーヴェリー ★☆☆

Ram Singh Ki Haveli ㋪राम सिंह की हवेली ㋒رام سنگھ کی حویلی

ウメイド・チョウクの近くに残る豪華な邸宅ラームシン・キ・ハーヴェリー。装飾された窓枠や屋根を支える腕木に彫刻がほどこされている。

クンジ・ビハーリ寺院 ★☆☆

Kunj Bihari Mandir／㋪कुंज बिहारी मंदिर ㋒کنج بہاری مندر

サルダル・バザールからまっすぐ西に伸びるカトラ・バザールに残るクンジ・ビハーリ寺院。クリシュナ神やミーラー・バーイーがまつられている（ヴィシュヌ派のヒンドゥー寺院）。シカラ屋根をもつ北インド様式の寺院建築は、ガンシャム寺院を模して建てられたという。

トリポリア・バザール ★☆☆

Tripolia Bazar／㋪त्रिपोलिया बाज़ार／㋒ترپولیا بازار

ナイ・サラクからなかに入った路地裏を走るトリポリ

青色の建築が続くブルー・シティの旧市街

いくつものバザールが走る

少しからの距離でも乗れる便利なリキシャ

サルダル・マーケットへの入口となるギルディコット・ゲート

ア・バザール。この街でもっとも古い市場のひとつで、旧市街南門のソジャティ・ゲートから北に伸びる（1970年代後半につくられたナイ・サラクは、トリポリア・バザールに対して「新しい通り」だということができる）。衣料品、木工品、手工芸品、ジュエリーなどをあつかう店がならび、地元の人も多く利用する。

スーリヤ寺院 ★☆☆

Surya Mandir／㋪सूर्य मंदिर　㋒سورج مندر

ジョードプル旧市街の一角に立つスーリヤ寺院。ラートール一族の祖先とされる太陽神スーリヤをまつる。

アチャルナート・シヴァラーヤ寺院 ★★☆

Achal Nath Shivalaya Mandir　㋪अचल नाथ मंदिर　㋒اچل ناتھ مندر

アチャルナート・シヴァラーヤ寺院は、ラオ・ガンガ（在位1515～31年）の女王ナナク・デヴィによって1531年に建てられた由緒正しい寺院。ウメイド・バワンと同じこの地方のチッタール石でつくられ、シカラ屋根をもつガルバ・グリハ、その前方のマンダパからなり、壁面は装飾で彩られている。寺院内部にはシヴァ神そのものを意味する男性器リンガが安置されている（リンガは生命力の象徴とされる）。また近くに階段井戸ガンガ・バオリも残っている。

ラジャスタン発のマールワーリー商人

近代以降、ラジャスタンからイギリスの植民都市コルカタやムンバイに進出し、パールシーとともにインド経済界に君臨したマールワーリー商人。この商人名の由来になったのがジョードプル（マールワール）で、強い血縁、地縁ネットワークを武器にインド各地で成功した（マールワール地方やシェカワティ地方出身者が多く、利にさとい人たちと見られることもあった）。シェカワティ地方を出自とするビルラー財閥はマールワーリー商人の代表格とされ、近代化、工業化の流れを受けて財閥へと成長し、ガンジーの独立運動を金銭面で支援した。

MONEY
CHANGER

Juni Mandi

ジュニマンディ城市案内

メヘランガル・フォートの西門(南門)にあたる
ファテー・ポルへと続く道
ジョードプル黎明期以来のバザールが残る

ジュニ・マンディ ★★☆

Juni Mandi Ⓗजूनी मंडी Ⓤجونی منڈی

ジュニ・マンディは、ジョードプル旧市街のもうひとつの中心地。サルダル・マーケットから西に伸びる細い路地を通った先の旧市街西部に位置する。ここはジョードプルでもっとも古くから市場があったところで、現在も周囲にはバザール、ハーヴェリー、寺院などが集まっている。もともとクリシュナ神をまつるガンシャム寺院があり、週に一度ここで市が立っていた。やがて周辺には穀物や野菜、果物、靴などを売る店がならぶようになり、ジョードプルを代表する伝統あるバザールとして知られていた。

サティヤナラヤンジー・キ・ハーヴェリー ★☆☆

Satyanayaranji Ki Haveli Ⓗसत्यनारायणजी की हवेली／
Ⓤستیانارائن جی کی حویلی

ジュニ・マンディに残る歴史的な邸宅のサティヤナラヤン・マンディル・ハーヴェリー。造営されてから400年ほど経過していると言われる。中庭には深さ17mの井戸が残り、かつてはこの水をくんでガンシャム寺院に捧げられた。

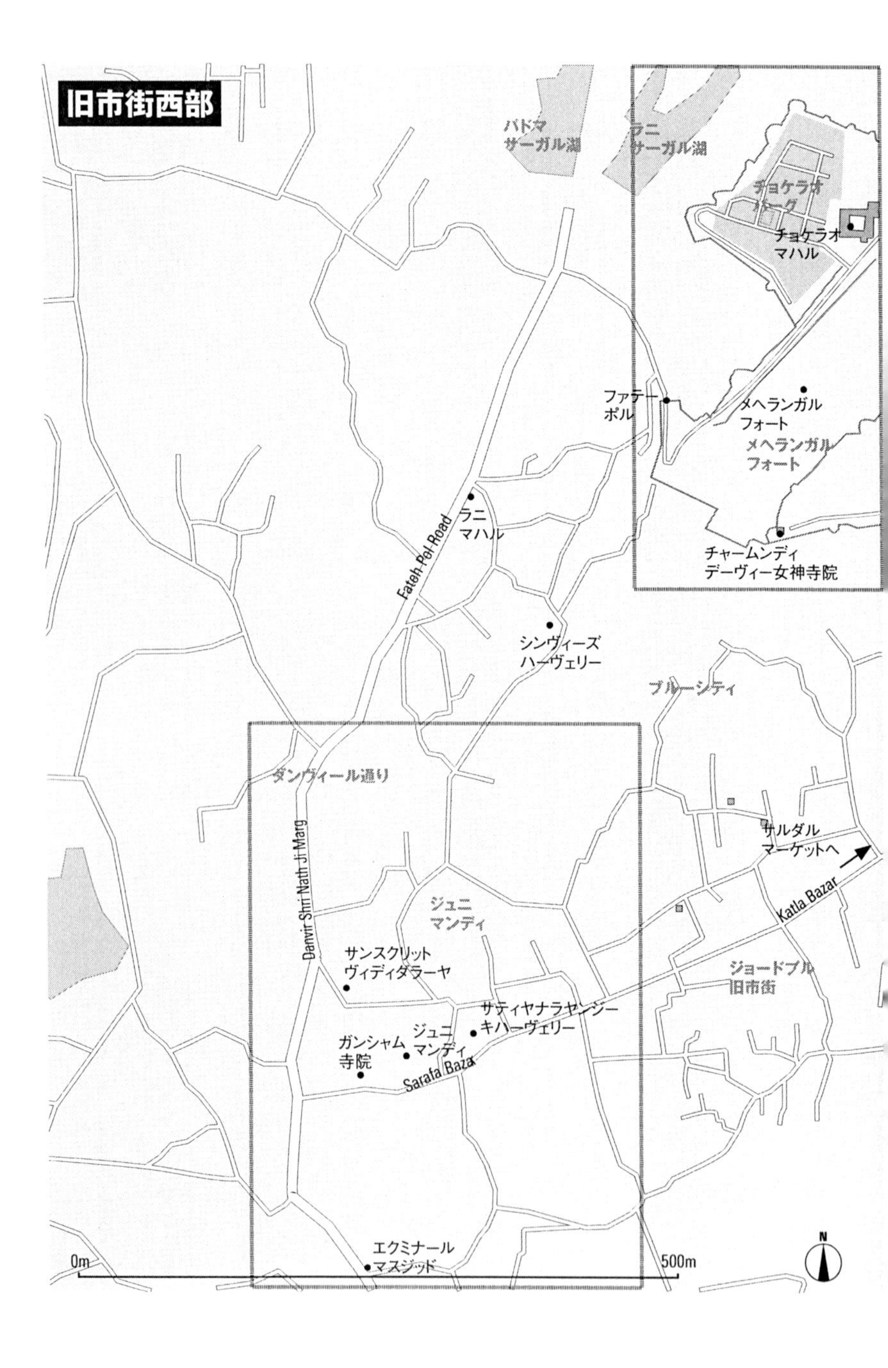

旧市街西部
パドマ
サーガル湖
ラニ
サーガル湖
チョケラオ
バーグ
チョケラオ
マハル
ファテー
ポル
メヘランガル
フォート
メヘランガル
フォート
ラニ
マハル
Fateh Pol Road
チャームンディ
デーヴィー女神寺院
シンヴィーズ
ハーヴェリー
ブルーシティ
ダンヴィール通り
Danvir Shri Nath Ji Marg
サルダル
マーケットへ
Katla Bazar
ジュニ
マンディ
サンスクリット
ヴィディダラーヤ
ジョードプル
旧市街
サティヤナラヤンジー
キハーヴェリー
ジュニ
マンディ
ガンシャム
寺院
Sarafa Baza
エクミナール
マスジッド
0m
500m
N

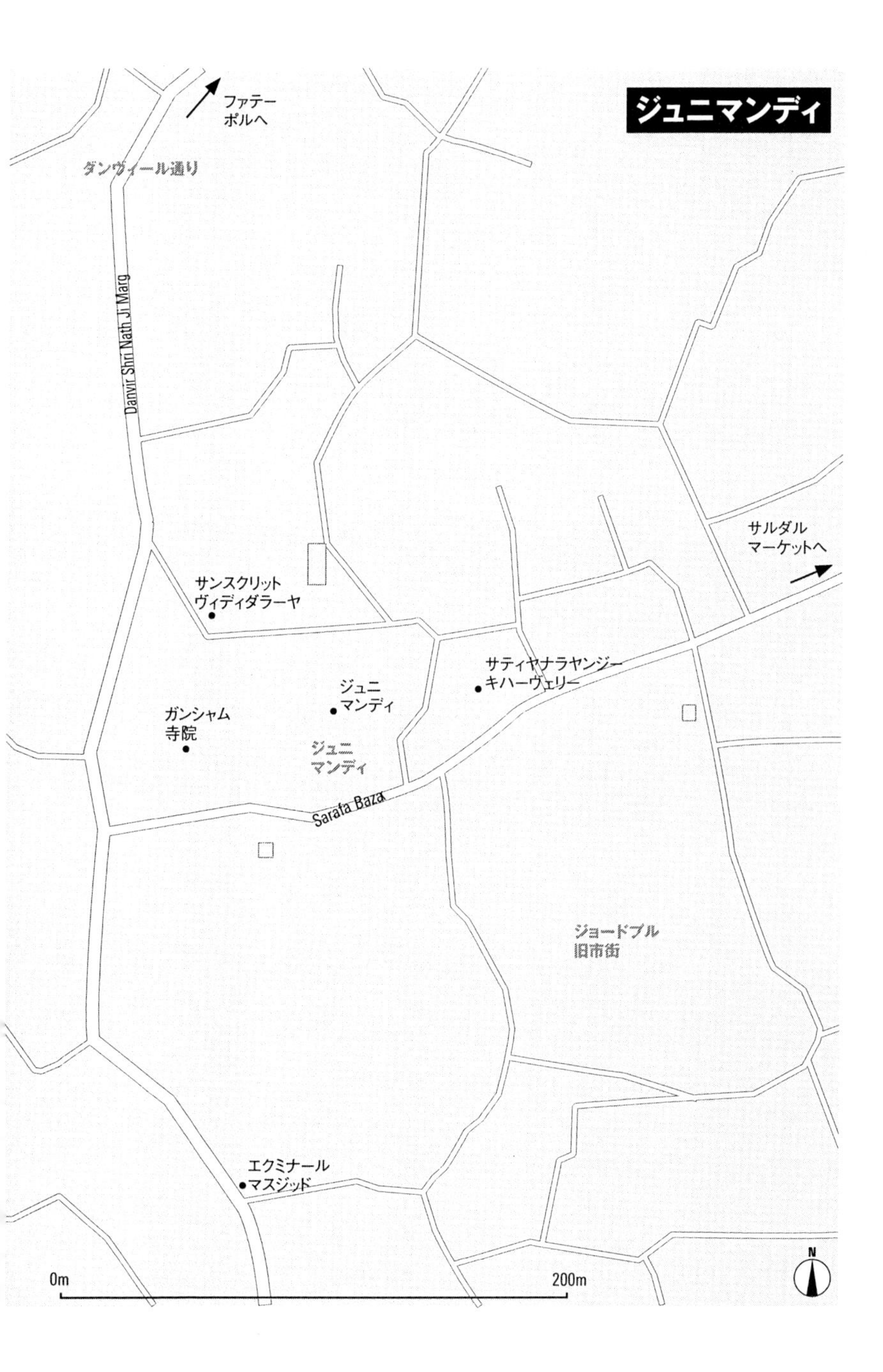
ジュニマンディ
ファテー
ポルへ
ダンヴィール通り
Danvir Shri Nath Ji Marg
サルダル
マーケットへ
サンスクリット
ヴィディダラーヤ
サティヤナラヤンジー
キハーヴェリー
ジュニ
マンディ
ガンシャム
寺院
ジュニ
マンディ
Sarafa Baza
ジョードプル
旧市街
エクミナール
マスジッド
0m
200m
N

ガンシャム寺院 ★☆☆

Ghanshyam Ji Mandir／ⓗ गंगश्याम मंदिर／ⓤ گنشیم مندر

ジョードプルのラオ・ガンガ(在位1515～31年)と結婚した王女は、出身地のシロヒ(ラジャスタン南部)から自身の信仰するクリシュナ神の像を携帯してきた。そして造営されたこのガンシャム寺院にクリシュナ神が安置された。この寺院は一時、イスラム教徒によってモスクに転用されたこともあるが、アジット・シン(在位1707～24年)のときにもとに戻され、ヴィジャイ・シン(在位1752～93年)の時代に現在の規模になった。マクラナの大理石と地元のチッタール砂岩が使われている。

サラファ・バザール ★☆☆

Sarafa Bazar／ⓗ सराफा बाज़ार　ⓤ صراف بازار

ジュニ・マンディに隣接し、ジョードプル旧市街の中心部を東西に伸びるサラファ・バザール。ここは手染めの布、綿やシルク、刺繍入りの衣料や布を中心とした市場で、男性のつけるターバン、女性の着るシャルワール・カミーズも軒先にならぶ。またジュエリー、ミラーワーク、

★★★

メヘランガル・フォート *Mehrangarh Fort*

ジョードプル旧市街 *Old Jodhpur*

★★☆

チャームンダ・デーヴィー寺院 *Chamundaji Mandir*

ジュニ・マンディ *Juni Mandi*

★☆☆

チョケラオ・マハル *Chokhelao Mahal(Chokhelao Bagh)*

ファテー・ポル(勝利の門) *Fateh Pol(Gate of Victroy)*

ラニ・サーガル湖 *Rani Sagar*

パドマ・サーガル湖 *Padam Sagar*

サティヤナラヤンジー・キ・ハーヴェリー *Satyanayaranji Ki Haveli*

ガンシャム寺院 *Ghanshyam Ji Mandir*

サラファ・バザール *Sarafa Bazar*

エク・ミナール・マスジッド *Ek Minar Masjid*

サンスクリット・ヴィディダラーヤ *Sanskrut Vidyalaya*

ダンヴィール通り *Danvir Shri Nath Ji Marg*

シンヴィーズ・ハーヴェリー *Singhvi's Haveli*

ジョードプル名産の革の靴(スリッパ、サンダル)をあつかう店も見える。

エク・ミナール・マスジッド ★☆☆
Ek Minar Masjid/Ⓗएक मीनार मस्जिद/Ⓤایک مینار مسجد

ジョードプル旧市街に残るイスラム教のエク・ミナール・マスジッド(モスク)。エク・ミナールとは「ひとつのミナール」という意味で、通常、2本もしくは4本あるミナレットが1本しかないことから名づけられた(イスラム教では左右対称が尊ばれる)。

サンスクリット・ヴィディダラーヤ ★☆☆
Sanskrut Vidyalaya/Ⓗसंस्कृत विद्यालय Ⓤسنسکرت اسکول

ダンヴィール通り沿いに立つ宮殿のようなたたずまいのサンスクリット・ヴィディダラーヤ。もともと寺院や宮殿建築だったと考えられ、上階部に柱が連続し、外部に開放的な建築となっている。ヴィディダラーヤとは学校を意味し、今では学校として使われている。

ダンヴィール通り ★☆☆
Danvir Shri Nath Ji Marg/Ⓗफतेह पोल मार्ग Ⓤفتح پول مارگ

ジュニ・マンディからメヘランガル・フォートの西門ファテー・ポルへと続くダンヴィール通り(ダンヴィール・シュリ・ナート・ジ・マルグ)。ここは15世紀以来のマールワール王国の面影を伝える路地で、ハーヴェリーや寺院がいくつも残る。ファテー・ポル・ロードともいう。

シンヴィーズ・ハーヴェリー ★☆☆
Singhvi's Haveli Ⓗसिंघवी की हवेली/Ⓤسنگھوی کی حویلی

青色に彩られたジョードプルの伝統的な砂岩製のシンヴィーズ・ハーヴェリー。1778年、マハラジャから、軍の最高司令官であったシュリ・アクヘラージ・サ・シンヴィーによって送られた邸宅で、現在はホテルとして利用されている。

建物が青く塗られたブルー・シティ

メヘランガル・フォートに備えつけられた大砲

壺が山積みになっている

青の建築が続いていく旧市街の様子は圧巻

旧市街のハーヴェリー、これがマールワール様式の建築

街の隅々で寺院や祠が見られる

Mughal and Marwar

ムガルとマールワール家

ジョードプルを都とするマールワール王国
16世紀に最盛期を迎えるなか
宗主ムガル帝国との駆け引きも続いた

婚姻関係を結んだムガルとラージプート

マールワール王家は13世紀以来、この地方を拠点とし、ムガル帝国(1526〜40年、1555〜1858年)が成立したとき、ウダイプルのメーワール王家とともに巨大なヒンドゥー勢力だった。こうした状況で、ムガル帝国第3代アクバル帝はラージプート諸国と婚姻関係を結ぶことでその勢力下に組み込んだ(ジョードプルやジャイプルがムガルに従属したのに対して、ウダイプルは徹底抗戦の道を選んだ)。ジョードプルのウダイ・シン(在位1583〜1594年)は王女ジョード・バーイをアクバル帝の子サリーム王子(のちの第4代ジャハンギール帝)に嫁がせ、王女はフッラム王子を産んだ。マールワール王家の血をひいたフッラム王子は第5代シャー・ジャハーン帝として即位し、タージ・マハルを造営したことで知られる。

ムガル最高の官位を受け

ムガル帝国では、皇帝が臣下に「官職」と「禄位」をあたえ、臣下は「禄位」にみあった「騎馬」を用意し、担当の知行地で税をとった。この知行地は本来、数年で鞍替えされるものだったが、ラージプート諸国は特別に「永代知行地」が認められていた(ムガル帝国に軍事協力させるために、数々の特権を認め、親しみある領民を統治させた)。ジョードプル王はアンベール(ジャイプル)王とならんで、ムガル帝国で最高格式の5000騎、ビカネール王も4000〜5000騎、ジャイサルメール王は1000騎と、地位の高さは際立っていた。またムガル帝国は氏族の異なるジョードプル、ジャイプル、ウダイプルのあいだで係争問題をつくり、その力を団結させないように注意を払ったという。

ラージプート戦争とムガルからの離反

ムガル帝国第6代アウラングゼーブ帝は熱心なイスラム教徒で、マトゥラーはじめ各地のヒンドゥー寺院を破壊した。またジョードプルの前代ジャスワント・シン王への恨み、知行地(皇帝が臣下にあたえる土地)の不足、海港のあるグジャラートへ続く要衝であったことから、「(ジャスワント・シン王に続く)跡継ぎがいない」ことを理由にマールワール王国のとりつぶしをはかった。これに対して、ジョードプル側は30年に渡るラージプート戦争を展開し、アウラングゼーブ帝死後の1707年、ジョードプル側の勝利で終わった。アウラングゼーブ帝の政策は、各地のヒンドゥー勢力の離反を招き、やがてムガル帝国はデリー近郊の小さな勢力へとなっていった。

Jodhpur Junction Railway Station

ジョードプル駅城市案内

**1818年にイギリス保護領となったジョードプル
近代化にともなって市域は南と東に拡大し
旧市街の南側に鉄道駅が開設された**

ラジ・ランチョードジィ寺院 ★★☆

Raj Ranchhodji Mandir／㋪ राज रणछोड जी मंदिर／㋒ راج رنچھوڑ جی مندر

旧市街の南側、ちょうど鉄道駅と向き合うように立つラジ・ランチョードジィ寺院。マハラジャ・ジャスワント・シン2世（在位1873～95年）死後の1905年、その王妃ジェデチ・ラジカンワルによって建設された。彼女が、故地グジャラートから携えてきた黒大理石製のクリシュナ像が安置されている（ヒンドゥー教ヴィシュヌ派の寺院）。寺院は赤砂岩を素材とし、黄色、緑、青などのガラスで色どられている。

モチ・マーケット ★☆☆

Mochi Market／㋪ मोची मार्केट／㋒ موچی مارکیٹ

ジョードプル旧市街南西部を走るモチ・マーケット。モチとは「靴職人」を意味し、このバザールではジョードプル靴職人が手づくりした名産品ジュッティやモジリスなどが売られている（刺繍入りのラクダ皮スリッパは、はき心地がよく、さまざまな柄やデザインがある）。また靴と同じ革を利用したバッグなども見られる。

ジャローリ・ゲート ★☆☆

Jalori Gate／㋪ जालोरी गेट　㋒ جالوری گیٹ

ジョードプル旧市街の南西部に残るジャローリ・ゲー

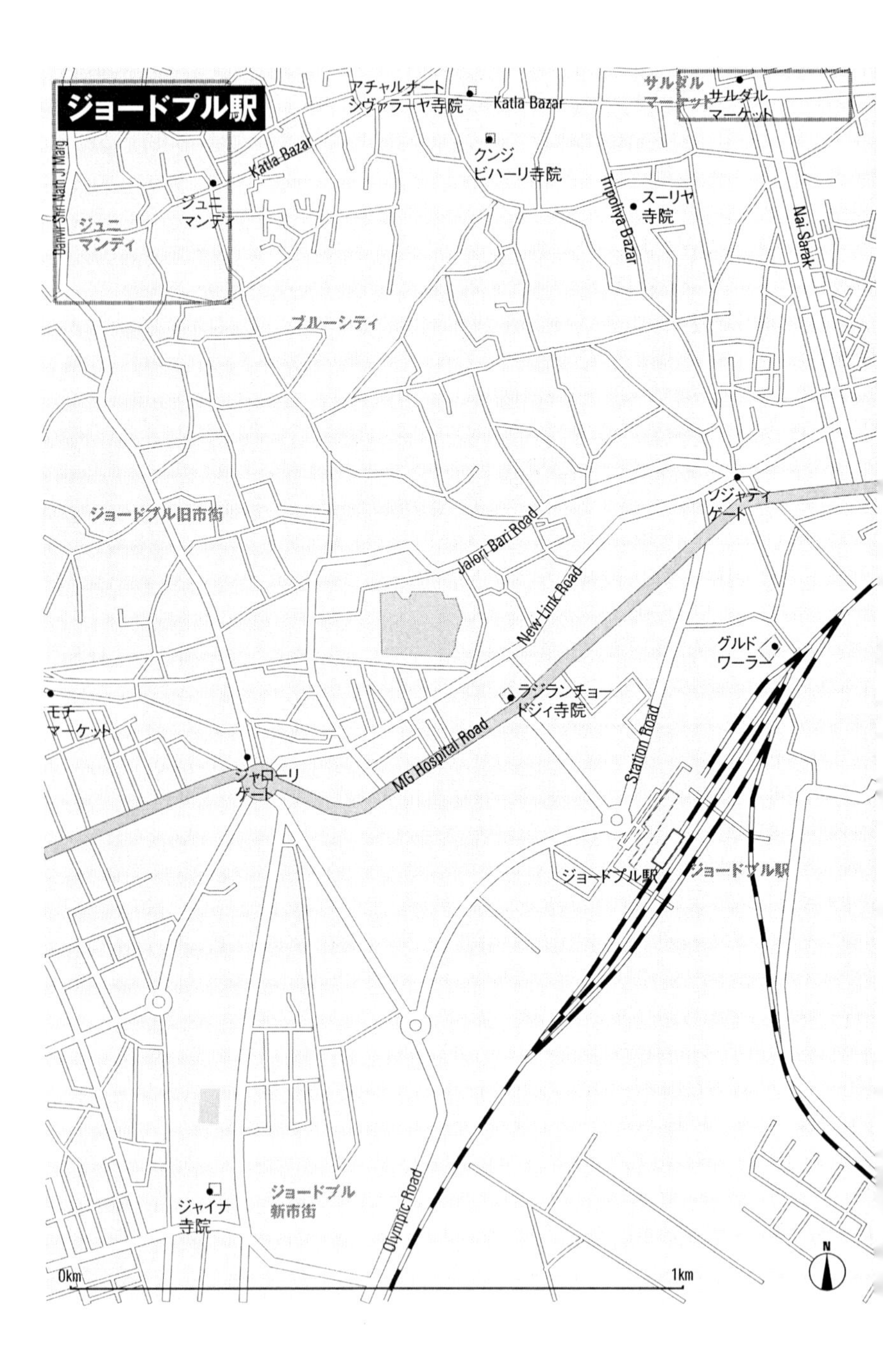
ジョードプル駅
アチャルナート
シヴァラーヤ寺院
Katla Bazar
サルダル
マーケット
サルダル
マーケット
Katla Bazar
クンジ
ビハーリ寺院
Daivir Shri Nath Ji Marg
ジュニ
マンディ
ジュニ
マンディ
Tripoliya Bazar
スーリヤ
寺院
Nai Sarak
ブルーシティ
ジョードプル旧市街
ソジャティ
ゲート
Jalori Bari Road
New Link Road
グルド
ワーラー
モチ
マーケット
ラジランチョー
ドジィ寺院
MG Hospital Road
Station Road
ジャローリ
ゲート
ジョードプル駅
ジョードプル駅
Olympic Road
ジャイナ
寺院
ジョードプル
新市街
0km
1km
N

ト。すぐ近くにジョードプル・ジャンクション鉄道駅があることから、交通の要所となっていて、門前には広場ジャローリ・バリが位置する。新市街と旧市街を結ぶ門でもある。

ソジャティ・ゲート ★☆☆

Sojati Gate ㋪सोजती गेट／㋒سوجتی گیٹ

　ジョードプル旧市街の南門にあたったソジャティ・ゲート。藩王国時代から使われていたイワン状の門楼は、上部に3つの変形ドームを載せる。あたりはにぎわいを見せるが、1970年代に整備されたナイ・サラクが旧市街への実質的な門となった。

ジョードプル・ジャンクション鉄道駅 ★☆☆

Jodhpur Junction Railway Station／㋪जोधपुर जंक्शन रेलवे स्टेशन／㋒جودھپور جنکشن ریلوے اسٹیشن

　ジャスワント・シン2世(在位1873～95年)時代にジョードプルの近代化が進められ、鉄道建設は1882年にはじまった。まずジョードプルとビカネールが結ばれ、その後、サ

★★★

ジョードプル旧市街 *Old Jodhpur*

★★☆

ラジ・ランチョードジィ寺院 *Raj Ranchhodji Mandir*
サルダル・マーケット *Sardar Market*
アチャルナート・シヴァラーヤ寺院 *Achal Nath Shivalaya Mandir*
ジュニ・マンディ *Juni Mandi*

★☆☆

モチ・マーケット *Mochi Market*
ジャローリ・ゲート *Jalori Gate*
ソジャティ・ゲート *Sojati Gate*
ジョードプル・ジャンクション鉄道駅 *Jodhpur Junction Railway Station*
ジョードプル新市街 *New Jodhpur*
ベール・バーグ・ジャイナ寺院 *Bheru Bagh Parshbnath Jain Mandir*
ナイ・サラク *Nai Sarak*
クンジ・ビハーリ寺院 *Kunj Bihari Mandir*
トリポリア・バザール *Tripolia Bazar*
スーリヤ寺院 *Surya Mandir*
ダンヴィール通り *Danvir Shri Nath Ji Marg*

ルダル・シン(在位1895～1911年)時代にシンド(現パキスタン)のハイデラバードまで路線は伸びた。現在、ジョードプル・ジャンクション鉄道駅と、ジャイプルやデリー、アーメダバードを結ぶ鉄道路線が走り、この街の玄関口となっている。目の前にはマハラジャ・ウメイド・シンの彫像が立つ。

ジョードプル新市街 ★☆☆

New Jodhpur　Ⓗनया जोधपुर／Ⓤنیا جودھپور

ジョードプル旧市街は地形にあわせて展開し、北西側に丘陵、そしてタール砂漠が広がるため、南側と東側に新市街がつくられることになった。マラータ勢力の侵攻をふせぐために、1803年からジョードプルはイギリス東インド会社と結び、1818年にその保護領となった。こうしてイギリスの影響もあってジョードプルの近代化がはじまり、とくにジャスワント・シン2世(在位1873～95年)、サルダル・シン(在位1895～1911年)、ウメイド・シン(在位1918～47年)といった名君の時代に、現在のジョードプルの街区が形成された。19世紀末、旧市街の南の外側に鉄道駅が整備され、この鉄道路線にあわせるように新市街がつくられている。旧市街の東に隣接して、ジョードプルの行政の中心地であるメフクマ・カース(ウメイド・ガーデン)が整備された。そして、それより東がパオタ、鉄道駅をはさんで旧市街の南東側がラタナダで、ウメイド・バワン・パレスが立つ。またジョードプル南部、線路の西側はサルダルプラと呼ばれる。

ベール・バーグ・ジャイナ寺院 ★☆☆

Bheru Bagh Parshbnath Jain Mandir　Ⓗभेरू बाग पार्श्वनाथ जैन मंदिर　Ⓤجین مندر

ジョードプル新市街に立つベール・バーグ・ジャイナ寺院。ジャイナ教徒は不殺生の考えから商人として活躍し、

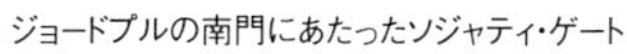

ジョードプルの南門にあたったソジャティ・ゲート

ラジ・ランチョードジィ寺院をはじめとするヒンドゥー寺院が残る

10世紀ごろから西インド(グジャラートやラジャスタン)で力をもつようになった。宝石商や金融業に従事する者が多く、比較的、社会的地位が高い。このベール・バーグ・ジャイナ寺院は、白衣派の寺院で、第23代祖師のパールシュヴァナータに捧げられている。バルコニーに繊細な彫刻がほどこされている。

Umed Garden

ウメイドガーデン城市案内

旧市街東門外に整備されたウメイド・ガーデン
整然とした区画をもつ庭園で
ここに20世紀初頭から行政庁舎が集まっていた

メフクマ・カース ★☆☆

Mehkma Khas ㋪ महकमा खास ㋒ محکمہ خاص

20世紀初頭になって、手ぜまになったジョードプル旧市街の東外側に新たに整備された政府機関メフクマ・カース（旧市街の北西側は丘陵地帯だったので、南と東に市街が拡大した）。ジョードプル政府の行政中心地となっていて、広大な庭園に行政機構や動物園、博物館などが集まる。また近くには、ポロ競技場やスタジアムもあった。

ウメイド・ガーデン ★★☆

Umed Garden ㋪ उमेद् गार्डन ㋒ امید گارڈن

イギリスのウィリンドン卿によって1936年に造営されたことにはじまるウメイド・ガーデン。その後、マハラジャ・ウメイド・シン（在位1918～47年）によって整備されたため、現在の名前となった。美しい芝生が敷かれた広大な公園で、アショカの木やバラ、季節の花が美しい姿を見せる。ウメイド・ガーデンには、クマ、キツネ、鹿、ライオン、ヒョウなどの動物を飼育する動物園、ジョードプルゆかりの美術品を収蔵する博物館、図書館も位置する。

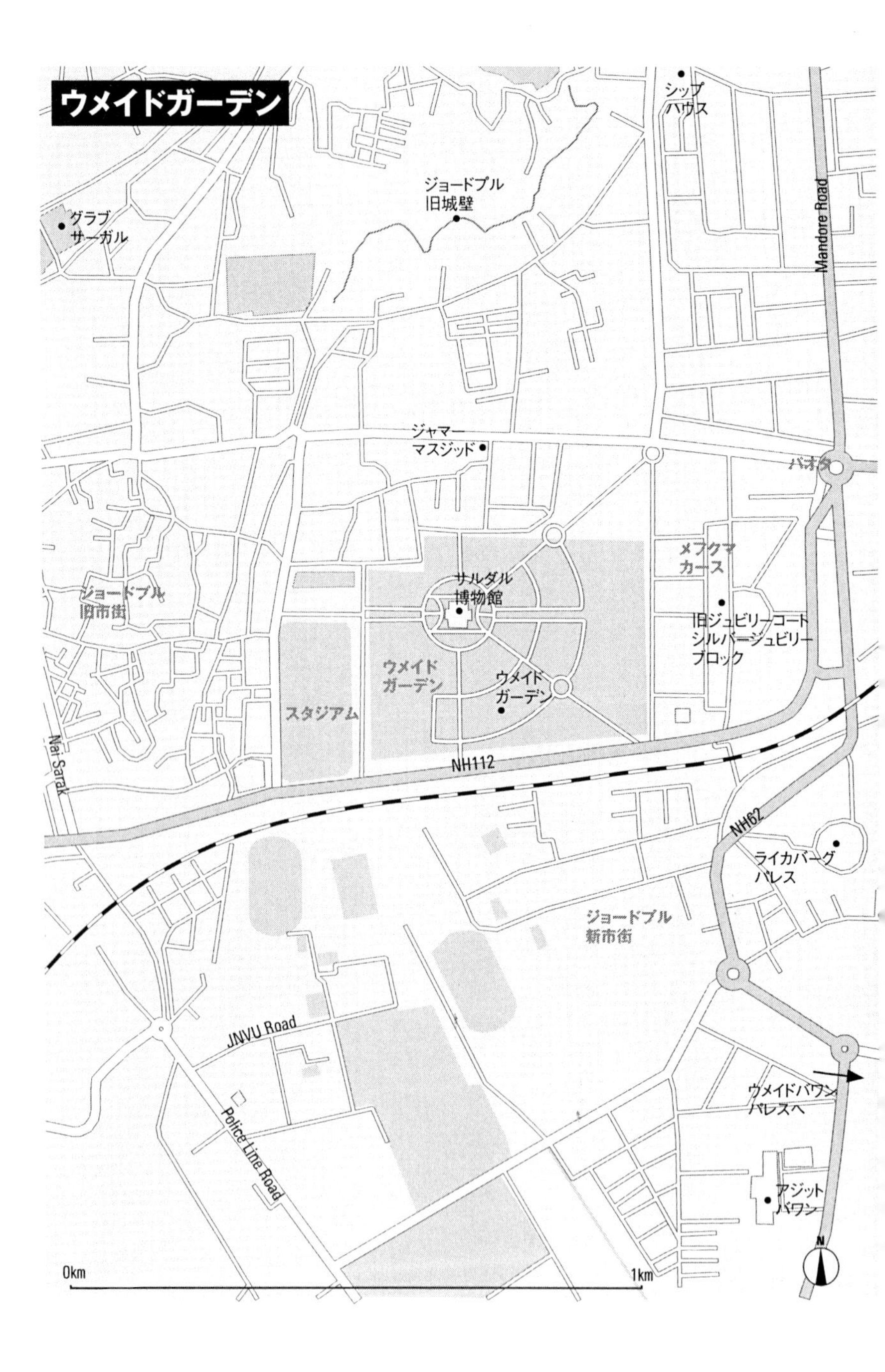
ウメイドガーデン
シップハウス
ジョードプル旧城壁
グラブサーガル
Mandore Road
ジャマーマスジッド
パオタ
メフクマカース
サルダル博物館
ジョードプル旧市街
旧ジュビリーコート
シルバージュビリーブロック
ウメイドガーデン
ウメイドガーデン
スタジアム
Nai Sarak
NH112
NH62
ライカバーグパレス
ジョードプル新市街
JNVU Road
ウメイドバワンパレスへ
Police Line Road
アジットバワン
0km
1km
N

サルダル政府博物館 ★☆☆

Sardar Government Museum／ⓗसरदार राजकीय संग्रहालय／
ⓤسردار گورنمنٹ میوزیم

　ジョードプル博物館、政府博物館の名前でも知られるサルダル政府博物館。1909年、インド軍総司令官をつとめたイギリス軍人キッチナーのジョードプル訪問にあわせて、マハラジャ・サルダル・シン（在位1895〜1911年）が職人や芸術家の仕事を集めた展覧会を開いたことにはじまる。その後、ウメイド・ガーデンと同じ1936年に現在の建物が建設され、短剣やピストルなどの武器、マールワール絵画や織物、地元の芸術や工芸品、写本、ジャイナ教のティールタンカラの画像などを収蔵する。

旧ジュビリー・コート ★☆☆

Old Jubilee Courts／ⓗजुबली कोर्ट／ⓤجبلی کورٹ

　ちょうどサルダル政府博物館と向かいあって立つメフクマ・カース中心建築の旧ジュビリー・コート。イギリス統治下の1897年、ヴィクトリア女王の在位60周年「ダイヤモンド・ジュビリー」を記念して建てられ、品格があり、堂々とした石づくりのたたずまいを見せる（ジョードプルは1818年から、イギリスの支配下に入った）。設計は、スウィントン・

★★★
ジョードプル旧市街 *Old Jodhpur*
★★☆
ウメイド・ガーデン *Umed Garden*
★☆☆
ジョードプル新市街 *New Jodhpur*
メフクマ・カース *Mehkma Khas*
旧ジュビリー・コート *Old Jubilee Courts*
シルバー・ジュビリー・ブロック *Silver Jubilee Block*
サルダル政府博物館 *Sardar Government Museum*
ジャマー・マスジッド *Jama Masjid*
ジョードプル旧城壁 *Old City Walls*
シップ・ハウス *Ship House*
ライカ・バーグ・パレス *Rai Ka Bagh Palace*
グラブ・サーガル *Gulab Sagar*
ナイ・サラク *Nai Sarak*

ジェイコブによるもので、インドとヨーロッパの様式を融合させたインド・サラセン建築となっている。現在は市庁舎などの行政機関が入居している。

シルバー・ジュビリー・ブロック ★☆☆

Silver Jubilee Block/Ⓗसिल्वर जुबली ब्लॉक/Ⓤسلور جبلی بلاک

1935年、メフクマ・カースに新たに追加されたシルバー・ジュビリー・ブロック。在位25周年(シルバー・ジュビリー)を迎えるジョージ5世国王と、メアリー王妃を記念して建てられ、司法裁判所や関連事務所、州監査局などが入居した。

ジャマー・マスジッド ★☆☆

Jama Masjid/Ⓗजामा मस्जिद/Ⓤجامع مسجد

ジョードプルに暮らすイスラム教徒が集団礼拝に訪れるジャマー・マスジッド。この地方の砂岩を使った建築で、ドームやミナレットが見える。

ジョードプル旧城壁 ★☆☆

Old City Walls/Ⓗपुरानी दीवार/Ⓤپرانی دیوار

旧市街をとり囲むジョードプル旧城壁は、1459年に街がつくられたのちのラオ・マールデーオ(在位1531〜62年)時代に造営された。城壁は卵型に伸びた全長10kmほどの規模で、1950年代までその姿をとどめていたが、その大部分は撤去された。旧市街東南部にあたるジョードプル旧城壁は、部分的に残る往時の城壁跡となっている。ジョードプル旧城壁にあわせて西のチャンドポール門、北のナゴーリ門、東のメリティア門、南のソジャティ門、ジャロリー門、シワンチー門の6つの門が配置されていた。

シップ・ハウス ★☆☆

Ship House ㋪शिप हाउस ㋒شپ ہاؤس

まるで水上を進む船(シップ)のような建築形態から名づけられたシップ・ハウス。1886年、プラタップ卿が私邸として建設し、小さな丘に山を切ってつくられている(砂漠地帯に位置するジョードプルは、海をもたないが、風を受けて進む船のよう)。3階建てレンガづくりのこのシップ・ハウスは、現在、遺産として保護されている。

旧市街と異なる面影を見せる新市街

高い芸術性のマールワール絵画

Ratanada

ラタナダ城市案内

街の拡大とともに
新市街が整備されたジョードプル
マハラジャの宮殿も残る

チッタールの丘 ★☆☆

Chittar Hill ／ ⓗ चित्तर पहाड़ी ／ ⓤ چھتر پہاڑی

北西のメヘランガル・フォートとちょうど対置するようにジョードプル南東にそびえるチッタールの丘。1929～44年にかけて建てられたマハラジャの宮殿ウメイド・バワン・パレスが立ち、ここからはブルー・シティと壮大なメヘランガル・フォートが視界に入る。このチッタールの丘から産出された砂岩は、チッタール砂岩として知られ、ジョードプルの宮殿建築などに使われてきた。黄色を帯びたピンクの花崗岩はこの地の砂岩でもっとも強度が高く、1000年以上、持続するという。

ウメイド・バワン・パレス ★★★

Umaid Bhawan Palace ／ ⓗ उम्मेद् भवन पैलेस ／ ⓤ امید بھون محل

ジョードプル市街南東のチッタールの丘に立つマハラジャの新宮殿ウメイド・バワン・パレス。マハラジャ・ウメイド・シン（在位1918～47年）の命で、1929～44年に建てられ、幅195m、奥行き103m、高さ56mの堂々としたたたずまいは、世界最大の王室邸宅だとも言われる。博物館、ホテル、マハラジャの邸宅という3つの要素からなる宮殿の設計は、イギリスの建築家H・V・ランチェスター（1863～1953年）によるもので、インド・サラセン様式の傑作建築にもあげ

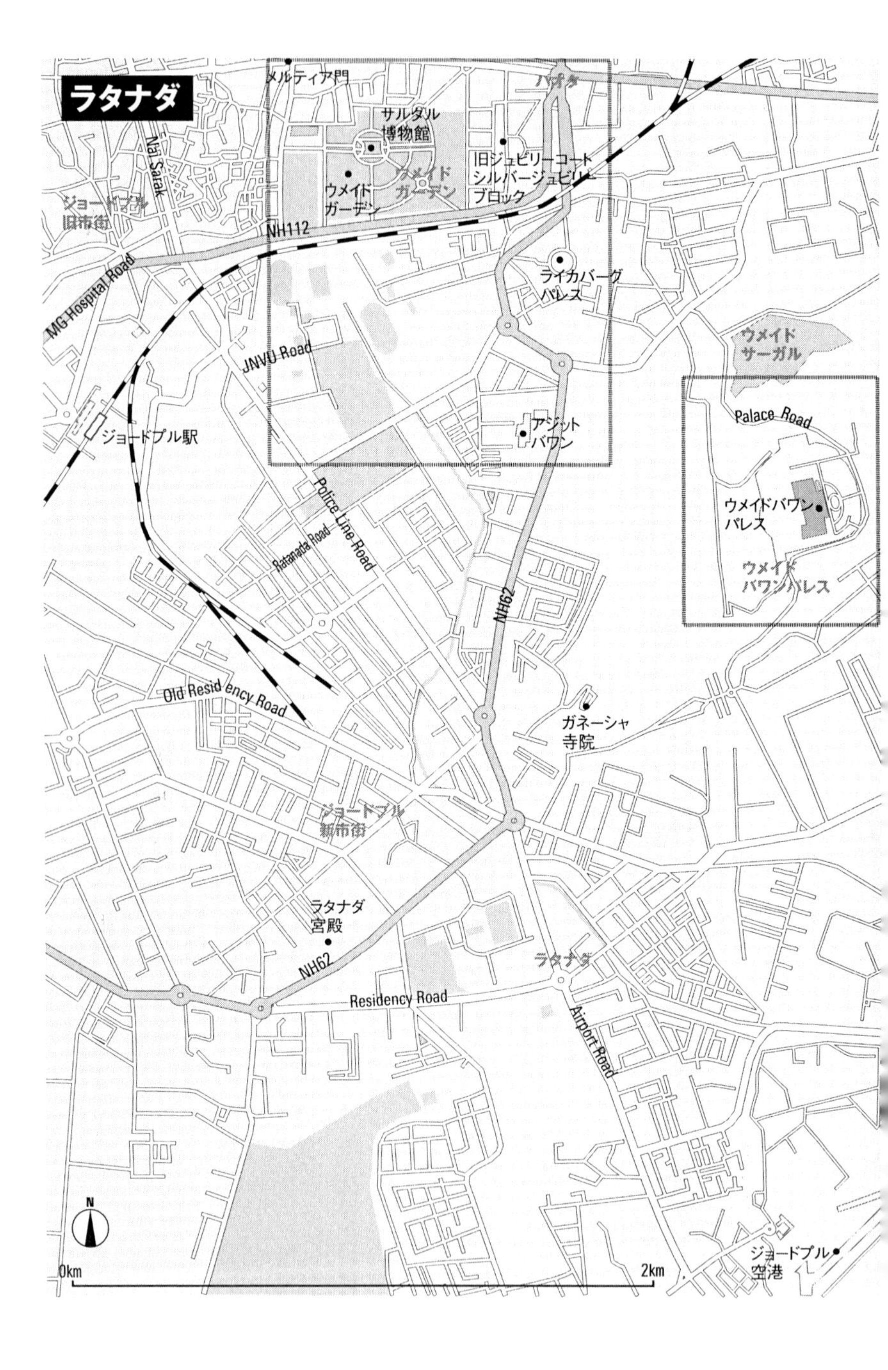
ラタナダ
メルティア門
パオタ
サルダル
博物館
旧ジュビリーコート
シルバージュビリー
ブロック
ウメイド
ガーデン
ウメイド
ガーデン
Nai Sarak
ジョードプル
旧市街
NH112
MG Hospital Road
ライカバーグ
パレス
JNVU Road
ウメイド
サーガル
Palace Road
アジット
バワン
ジョードプル駅
Police Line Road
Ratanada Road
ウメイドバワン
パレス
ウメイド
バワンパレス
NH62
Old Residency Road
ガネーシャ
寺院
ジョードプル
新市街
ラタナダ
宮殿
NH62
ラタナダ
Residency Road
Airport Road
N
ジョードプル
空港
0km
2km

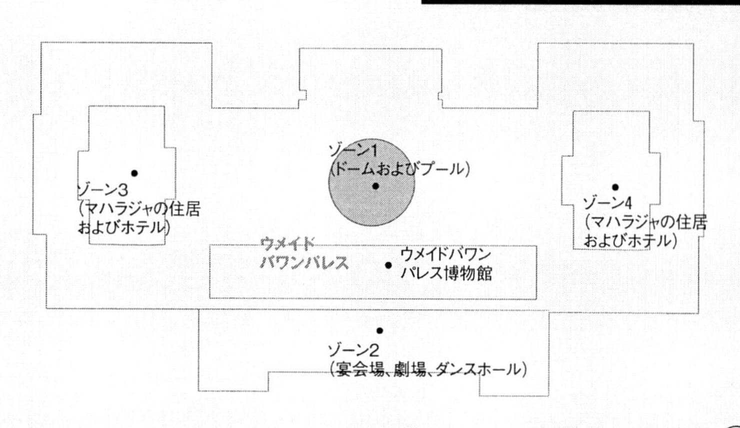
ウメイドバワンパレス拡大
ゾーン1
(ドームおよびプール)
ゾーン3
(マハラジャの住居
およびホテル)
ゾーン4
(マハラジャの住居
およびホテル)
ウメイド
バワンパレス
ウメイドバワン
パレス博物館
ゾーン2
(宴会場、劇場、ダンスホール)
N

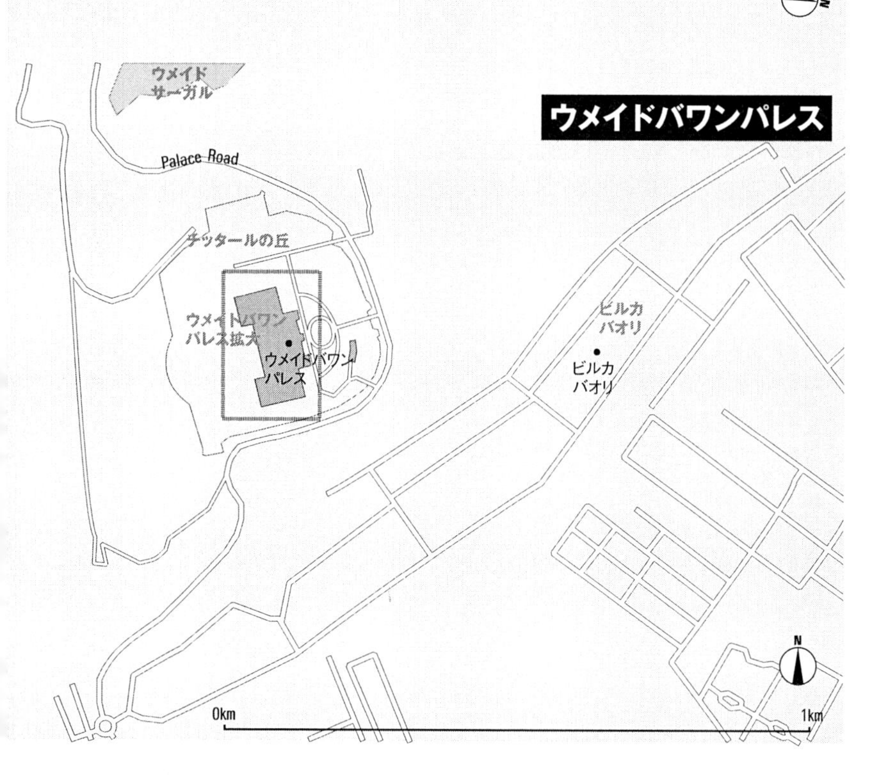
ウメイドバワンパレス
ウメイド
サーガル
Palace Road
チッタールの丘
ウメイドバワン
パレス拡大
ウメイドバワン
パレス
ビルカ
バオリ
ビルカ
バオリ
N
0km
1km

られる。入口には衛兵が立ち、装飾のほどこされた天井、玉座の間、ダルバール・ホール、劇場など300以上の部屋を擁し、豪華な調度品をそなえ、今でもジョードプル王家の人びとが暮らしている。このウメイド・バワン・パレスは、飢饉に苦しむ人たちを雇用するという目的もかねて建てられていて、造営の20年間のあいだに数千人を雇用し、経済政策としても成功したという。外部はこの地で産出されるチッタール砂岩、内部はマクラナ大理石と、ビルマのチーク材が使用され、インド・サラセン様式、西洋のアールデコ様式が融合している。

ウメイド・バワン・パレスの構成

ウメイド・バワン・パレスは、幅195m、奥行き103m、高さ56mからなり、東の方角に向かって立つ(四隅の塔の高さは25m)。入口部分は宴会場、劇場、ダンスホールからなるゾーン2、その奥のドームの下とプールのある宮殿中心部がゾーン1、そしてその左右の両脇がマハラジャ一族の住居とホテルのゾーン3、4となっている。

★★★
ウメイド・バワン・パレス *Umaid Bhawan Palace*
ジョードプル旧市街 *Old Jodhpur*

★★☆
ビルカ・バオリ *Birkha Bawari*
ウメイド・ガーデン *Umed Garden*

★☆☆
チッタールの丘 *Chittar hill*
ウメイド・バワン・パレス博物館 *Umaid Bhawan Palace Museum*
ライカ・バーグ・パレス *Rai Ka Bagh Palace*
ガネーシャ寺院 *Ganesh Mandir*
ラタナダ宮殿 *Ratanada Polo Palace*
ナイ・サラク *Nai Sarak*
ジョードプル・ジャンクション鉄道駅 *Jodhpur Junction Railway Station*
ジョードプル新市街 *New Jodhpur*
旧ジュビリー・コート *Old Jubilee Courts*
シルバー・ジュビリー・ブロック *Silver Jubilee Block*
サルダル政府博物館 *Sardar Government Museum*

凛々しいたたずまいの肖像

マハラジャの邸宅を兼ねたウメイド・バワン・パレス

階段井戸ビルカ・バオリの力もあって緑あふれる姿になった

内装は豪華そのもの現在もマハラジャの子孫が暮らす

インド・サラセン様式の傑作建築にあげられる

この丘で採掘されたチッタール砂岩を素材とする

ウメイド・バワン・パレス博物館 ★☆☆

Umaid Bhawan Palace Museum／ⓗ उम्मेद् भवन पैलेस संग्रहालय／ⓤ امید بھون پیلس میوزیم

マハラジャの肖像画や写真、ラージプート絵画といった展示が見られるウメイド・バワン・パレス博物館。マハラジャの武器、マハラジャの使った玉座のほか、アンティーク時計、アールデコ調の家具、時計、食器など、マハラジャのコレクションを収蔵する。このうち、マハラジャ・ウメイド・シン（在位1918～47年）の依頼で、ロンドンでつくられた家具も多く、ウメイド・バワン・パレスの完成した1944年は第二次世界大戦中だったこともあり、ジョードプルへの家具を積んだ船はインドへの航海途中でドイツ人によって撃沈され、すべては届かなかったという。

男気ある王族の逸話

1818～1947年、ジョードプルはイギリスの保護国（藩王国）となり、イギリスからの駐在官を受け入れていた。あるときイギリス人少尉がジョードプルでなくなり、その棺を4人のイギリス人で運ぶ手はずだった。ところがひとりのイギリス人が急病にかかり、棺の担い手が足りなくなってしまった。ヒンドゥー教徒のあいだでは、他人の棺に手を触れると、カーストから追放される決まりがあったので、代役は見つからなかった。こうした状況で、ジョードプル王族のバータップ・シンは「その兄弟のようなイギリス軍人とのあいだでは、カーストは関係ない」と棺かつぎに名乗りをあげ、イギリス少尉の面子をたてたという。

ジョードプル発のジョッパーズ

腰から膝あたりまではゆったりしているが、膝下が締まったズボンのジョッパーズ(jodhpurs)。英語のつづりから明らかなように、この「ジョッパーズ(jodhpurs)」は「ジョードプル(jodhpur)」を起源とする。19世紀なかごろ、ポロや乗馬の盛んだったイギリス領のジョードプルに駐屯していたイギリス人将校が、現地の人びとがはいていた白い綿のズボンを参考にしてつくったのがはじまりだという。こうして乗馬用のズボン、ジョッパーズは、イギリスを通して世界に広まることになった。ジョッパーブーツも同様の語源をもつ。

ビルカ・バオリ ★★☆

Birkha Bawari ㊌बिरखा बावरी ㊆برکھا باوری

21世紀に入ってから、ウメイド・バワン・パレス東側に造営された階段井戸のビルカ・バオリ。このビルカ・バオリは、西インドで19世紀まで長らく使われてきた、雨水をためる伝統的な階段井戸の技術が使われている(タール砂漠では雨水を一滴も無駄にせず、保存する技術が発展してきた)。数珠状につながる階段井戸が一直線に伸びていく様子は壮観で、1750万リットルの雨水を収蔵するという。細かい階段が連続するのはラジャスタンの階段井戸を、柱と梁の構造物はグジャラートの階段井戸を彷彿とさせる。アヌ・ムリドゥルによる設計で、自然石を素材とする。

ライカ・バーグ・パレス ★☆☆

Rai Ka Bagh Palace/㊌राय का बाग पैलेस ㊆رائے کا باغ محل

ジャスワント・シン1世(在位1638～78年)の王妃ハディジによって、1663年に建設されたジョードプル王家の宮殿ライカ・バーグ・パレス。マハラジャ・ジャスワント・シン2世(在位1873～95年)は、豊かな緑に囲まれたこの宮殿を愛し、しばしば滞在したという。1883年、マハラジャの師事するアーリヤ・サマージのダヤーナンダ・サラスヴァティがジョードプルに来たとき、この宮殿で説法が行なわれた。

ガネーシャ寺院 ★☆☆

Ganesh Mandir／㋪गणेश मंदिर／㋒گنیش مندر

ジョードプル鉄道駅南東、新市街のラタナダに立つガネーシャ寺院。「あらゆる障害をとりのぞく」という象頭のガネーシャ神がまつられていて、ジョードプル最大のガネーシャ寺院となっている。19世紀、教師ラディダスがこの丘でヴィナーヤカ（ガネーシャ）の像を発見し、顔に卍の描かれたそのガネーシャ像が安置されている（高さ2.4m、幅1.5m）。1964年に改装されて現在にいたる。

ラタナダ宮殿 ★☆☆

Ratanada Polo Palace　㋪रतनदा पोलो पैलेस　㋒رتنادا پولو محل

ジョードプル王族の自家用車や国有車、馬が保管されていたラタナダ宮殿。低層だが、印象的な柱の連続する宮殿となっている。かつてこの宮殿でも一族が起居していたが、やがてライカ・バーグ・パレスに好んで暮らすようになった（現在はホテルとして開館している）。また隣接してポロ競技場が残り、ジョードプルはポロプレイヤーを多く生んだことでも知られる。

Northern Jodhpur

市街北部城市案内

ジョードプルから古都マンドールへ向かう道
その通り沿いにはマールワール王国の古今をたどる
宮殿や寺院が残っている

マハ・マンディル ★★☆

Maha Mandir／Ⓗ महा मंदिर　Ⓤ مہا مندر

ジョードプル市街北東に位置し、「偉大な寺院」を意味するマハ・マンディル。マハラジャ・マン・シン（在位1803～43年）時代の1812年に建てられたシヴァ派のヒンドゥー寺院で、当初はマハラジャの宗教上のグルであったデーヴナートジーが暮らしていた。シカラ（ヒマラヤをイメージした屋根）を中心とするピラミッド型の外観をもち、84本の列柱が連なる1階は外部に対して開放的になっている。そこにはさまざまなヨガのポーズをした彫刻がほどこされている。

バルサマンド・レイク・パレス ★☆☆

Balsamand Lake Palace／Ⓗ बालसमंद लेक पैलेस／Ⓤ بالسمند محل

バルサマンド湖の湖畔に立つマールワール王家の赤砂岩の宮殿バルサマンド・レイク・パレス。1159年、パリハル・バラク・ラオによって人造湖がつくられ、その後、何度か拡大されて今にいたる。マハラジャはじめ王族は夏にこのバルサマンド・レイク・パレスで滞在することが多く、夏の離宮として知られていた。マンゴー、パパイヤ、ザクロ、グァバ、プラムなどの木が茂り、あたりはジャッカルや孔雀、また野鳥が生息する。現在はホテルとして開館

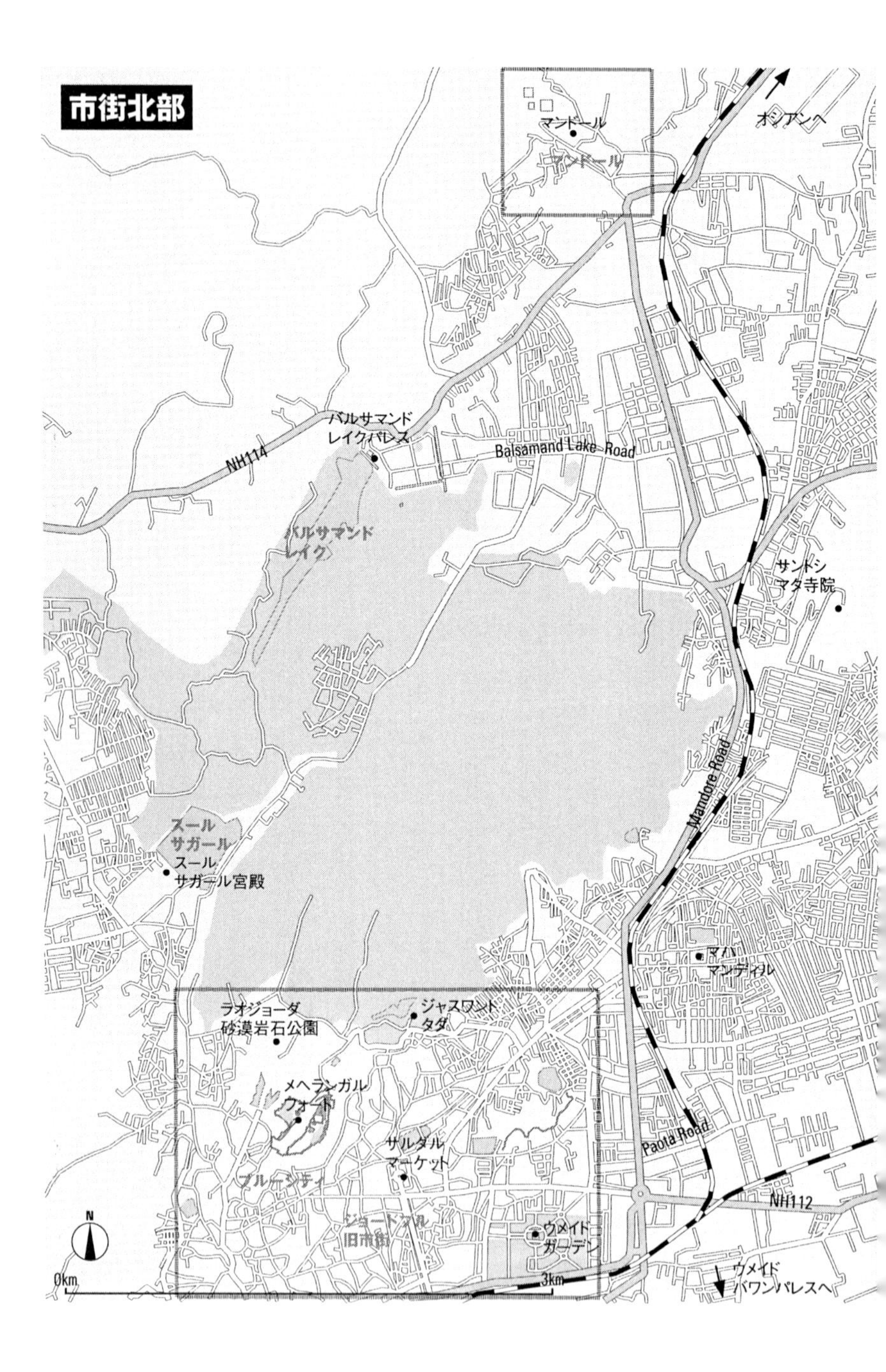

市街北部
マンドール
オシアンへ
バルサマンド
レイクパレス
NH114
Balsamand Lake Road
バルサマンド
レイク
サントシ
マタ寺院
Mandore Road
スール
サガール
スール
サガール宮殿
マハ
マンディル
ラオジョーダ
砂漠岩石公園
ジャスワント
タダ
メヘランガル
フォート
サルダル
マーケット
Paota Road
ブルーシティ
NH112
ジョードプル
旧市街
ウメイド
ガーデン
0km
3km
ウメイド
バワンパレスへ
N

している。

サントシ・マタ寺院 ★☆☆
Santoshi Mata Mandir ⓗसंतोषी माता मंदिर／ⓤسنتوشی ماتا مندر

ジョードプルから北東5km、サントシ・マタ女神をまつるサントシ・マタ寺院(シヴァ神の偶像がおかれたシヴァ派のヒンドゥー寺院)。サントシ・マタ女神は象頭のガネーシャ神を父にもち、障害をとりのぞき、自らを頼る者の願いをかなえるという。古くから知られた湖ラル・サーガルのほとりにあり、周囲を緑に囲まれている。金曜日、サントシ・マタ女神の信者による断食が行なわれる。

スール・サガール宮殿 ★☆☆
Soor Sagar Palace ⓗसूरसागर पैलेस／ⓤسورساگر محل

メヘランガル・フォートの北2kmの地点に広がる湖スール・サガールのほとりに立つスール・サガール宮殿。もともと王族の離宮だったが、1838年以降、スール・サガール宮殿はイギリス外交官の住居と事務所を兼ねるようになった(1818年にジョードプルとイギリスのあいだで協定が結ばれ、ジョードプルはイギリスの保護領となった)。

★★★
マンドール *Mandore*
メヘランガル・フォート *Mehrangarh Fort*
ジャスワント・タダ *Jaswant Thada*
ジョードプル旧市街 *Old Jodhpur*

★★☆
マハ・マンディル *Maha Mandir*
サルダル・マーケット *Sardar Market*
ウメイド・ガーデン *Umed Garden*

★☆☆
バルサマンド・レイク・パレス *Balsamand Lake Palace*
サントシ・マタ寺院 *Santoshi Mata Mandir*
スール・サガール宮殿 *Soor Sagar Palace*
ラオ・ジョーダ砂漠岩石公園 *Rao Jodha Desert Rock Park*

今も人々に慕われているマハラジャの宮殿

リキシャや馬、人が行き交う旧市街

ジョードプルで出合った子どもたち

王族たちの隊列を描いたラージプート絵画

ॐ
विश्वेश्वर महादेव का मन्दिर

Mandore

マンドール城市案内

ジョードプルの北8kmに位置するマンドール
1459年、ジョードプルに遷都される以前の王家の都で
マハラジャたちの多くもここに眠る

マンドール ★★★

Mandore／ⓗमंडोर／ⓤ[illegible]

1459年以前のジョードプル王家(ラートール・ラージプート族)の都がおかれていたマールワールの古都マンドール。4世紀のグプタ朝時代の碑文が発見されていて、その後、プラティハーラ族、チャハマーナ族といった諸ラージプートの拠点があった。のちにジョードプルを建国するラートール・ラージプート族は、ガンジス河中流域のカナウジを拠点としていたが、他のラージプート族とともに、イスラム勢力に敗れてラジャスタンの砂漠地帯に遷り、やがてこの地を拠点とした。こうして1394～1459年のあいだ、ジョードプル王家の都がおかれ、当時の城砦跡(マンドール・フォート)、マハラジャたちの墓廟群などが今でも残る(ラジャスタンでは、ポスト・グプタ朝時代から、シカラ式の寺院建築が建てられてきた)。マンドールという名称は、ラーヴァナの妻マンドダリにちなむとも、マンドゥ・リシ(リシ・マンダパ)にちなむともいう。1896年に庭園として整備された。

マンドールの構成

ジョードプル王家の古都マンドールは、マハラジャたちの墓廟群が残る南東部、また北西部の城砦跡、さらにそ

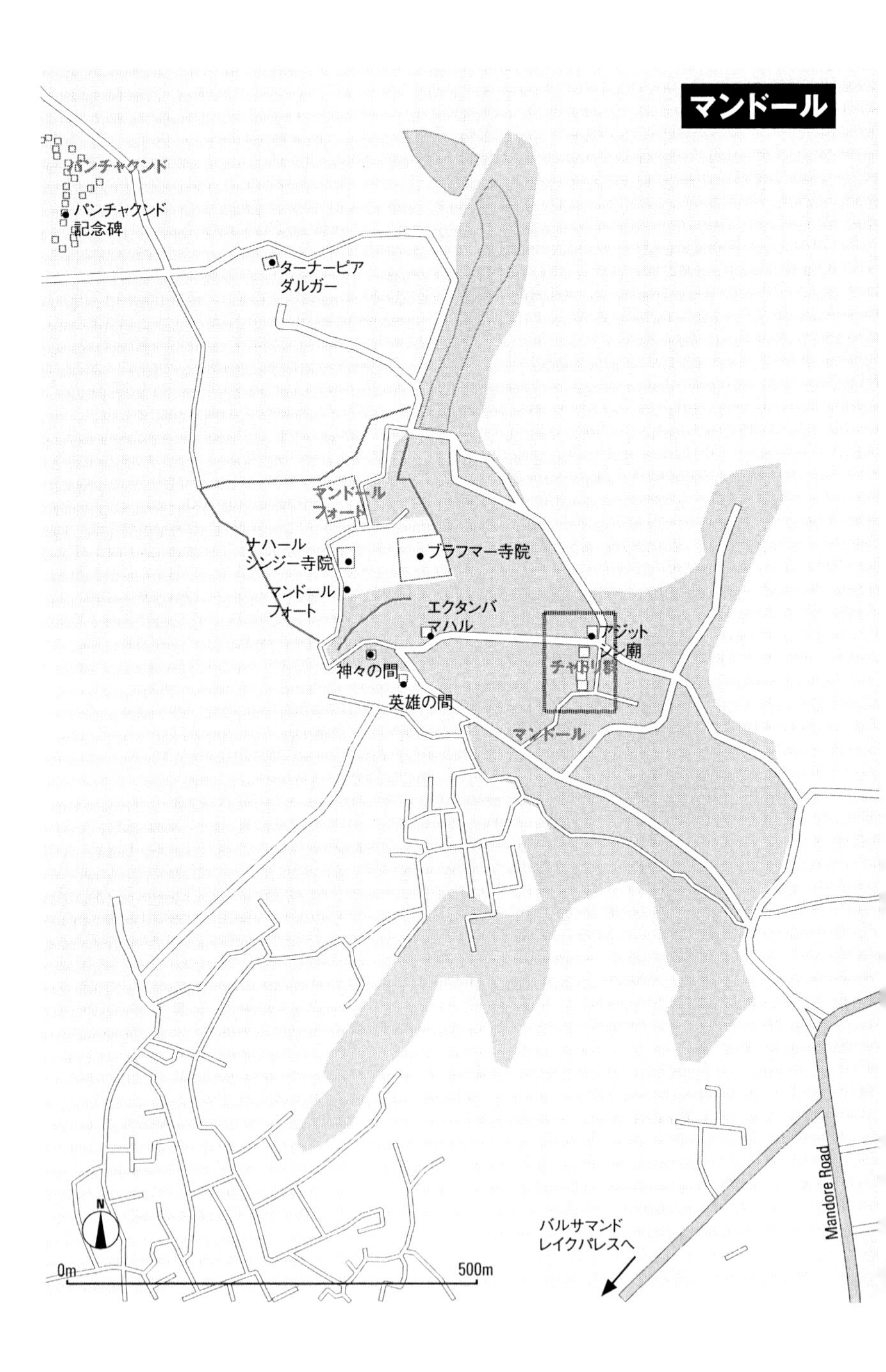
マンドール
パンチャクンド
記念碑
ターナーピア
ダルガー
マンドール
フォート
ナハール
シンジー寺院
ブラフマー寺院
マンドール
フォート
エクタンバ
マハル
アジット
シン廟
神々の間
英雄の間
マンドール
N
0m
500m
バルサマンド
レイクパレスへ
Mandore Road

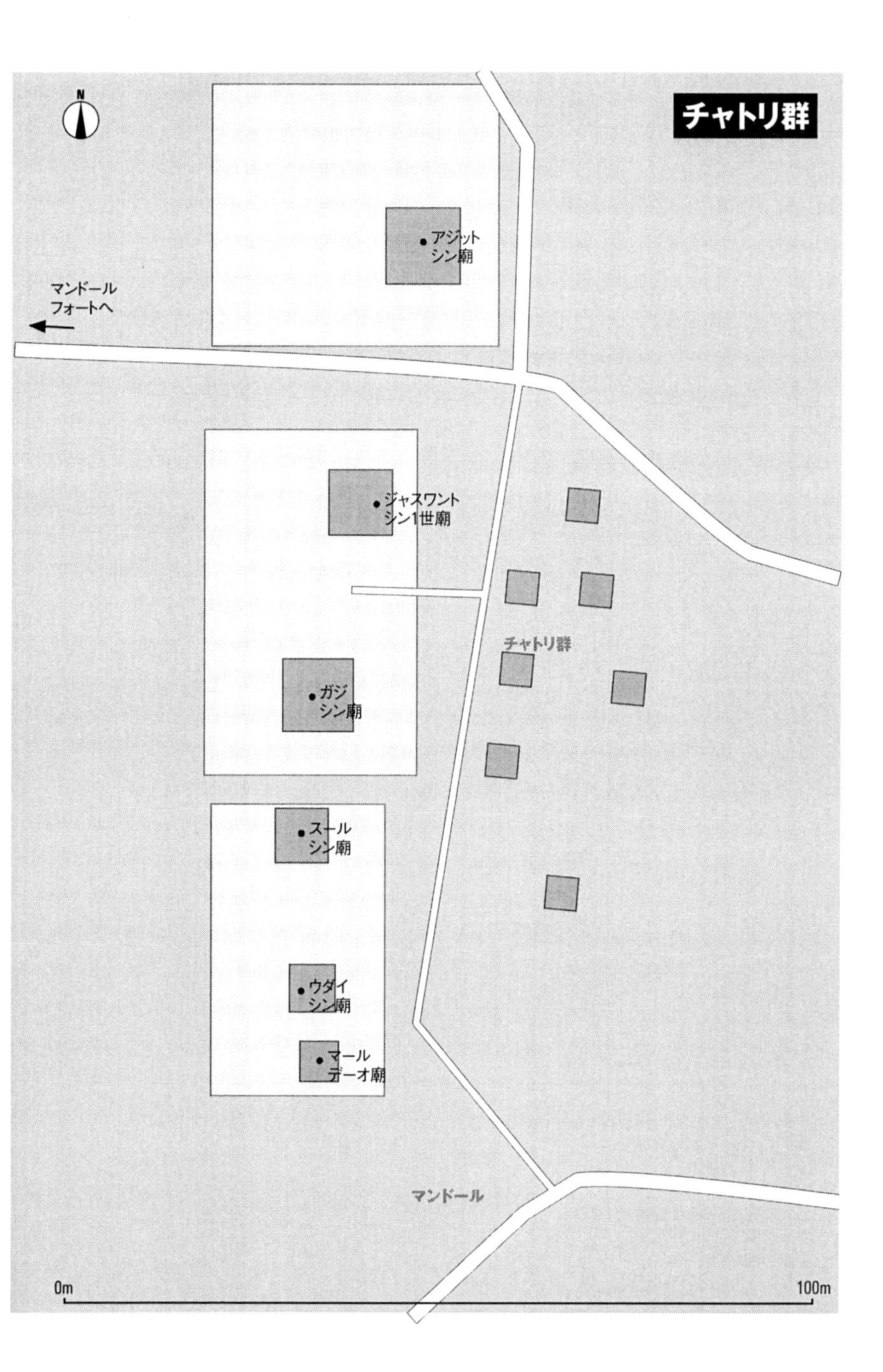
チャトリ群
N
アジット
シン廟
マンドール
フォートへ
ジャスワント
シン1世廟
ガジ
シン廟
チャトリ群
スール
シン廟
ウダイ
シン廟
マール
デーオ廟
マンドール
0m
100m

の北西のパンチクンド・チャトリ群(墓廟群)からなる。南東部の墓廟群は、1459年のジョードプル遷都後にこの地を統治したマールデーオ(在位1531〜62年)からアジット・シン(在位1707〜24年)までの6人の王の墓廟が南から北に向かって一直線にならんでいる(その向かいのチャトリはその他の王族のもの)。これらの建築様式はこの地方で産出される赤砂岩で建てられ、ラジャスタンで見られるイスラム教とヒンドゥー教の融合様式ではなく、山状屋根シカラをもつ北インドのヒンドゥー寺院様式となっている。またその北西のマンドール・フォートは1394年から65年間、ジョードプル以前の宮殿があった場所で、ちょうどジョードプルのメヘランガル・フォートに対応する(王家の祖先の宮殿から少し離れて、のちのマハラジャの墓廟が築かれていった)。またそこからさらに北西にはヒンドゥー教徒の聖地であったパンチャ・クンド(5つの湖)があり、そのそばにジョードプルに遷都したラオ・ジョーダはじめ、黎明期の王のチャトリ(墓廟)群が残っている。また王家の守護神であったチャームンダ・デーヴィー女神寺院はじめ、ヒンドゥー寺院跡やイスラム聖者の墓廟などが点在する。

★★★

マンドール *Mandore*

★★☆

アジット・シン廟 *Dewal Maharaja Ajit Singh*
エク・タンバ・マハル *Ek Thamba Mahal*

★☆☆

マールデーオ廟 *Dewal Maldeo*
ウダイ・シン廟 *Dewal Udai Singh*
スール・シン廟 *Dewal Sur Singh*
ガジ・シン廟 *DewalGaj Singh*
ジャスワント・シン1世廟 *Dewal Jaswant Singh I*
神々の間 *Hall of Deities*
英雄の間 *Hall of Heroes*
マンドール・フォート *Mandore Fort*
パンチャ・クンド記念碑 *Panch Kunda Cenotaphs*

マールデーオ廟 ★☆☆

Dewal Maldeo／Ⓗ देवल मालदेव／Ⓤ مقبرہ مال دیو

6つならぶジョードプル王家の墓廟群のうち、もっとも南に位置するマールデーオ廟。ラオ・マールデーオ（在位1531〜62年）は、ジョードプル遷都後にメヘランガル・フォートを整備し、旧市街の城壁をめぐらせるなどした名君で、この墓廟は1591年にウダイ・シンによって建てられた。

ウダイ・シン廟 ★☆☆

Dewal Udai Singh　Ⓗ देवल उदय सिंह　Ⓤ مقبرہ ادے سنگھ

ウダイ・シン（在位1583〜94年）の眠るウダイ・シン廟。強い心をもった王の性格から「モタ・ラジャ」の愛称で知られていた。この墓廟は1611年にスール・シンによって建てられた。

スール・シン廟 ★☆☆

Dewal Sur Singh　Ⓗ देवल सुर सिंह／Ⓤ مقبرہ سور سنگھ

ムガル帝国のアクバル帝に仕え、帝国の最盛期をになったスール・シン（在位1595〜1619年）の墓廟。王はジョードプルのほか、グジャラートやデカンに領地をもっていた（ムガル帝国は有力者に、各地の給与地ジャーギールを与えることで統治した）。このスール・シン廟は、1622年にガジ・シンによって建設された。

ガジ・シン廟 ★☆☆

Dewal Gaj Singh／Ⓗ देवल गज सिंह　Ⓤ مقبرہ گج سنگھ

スール・シンを継いでジョードプル王となったガジ・シン（在位1619年〜1638年）。ムガル帝国からデカン総督に任命されるなど、帝国の中枢をにない、アーグラで生命を落とした。このガジ・シン廟は、1649年にジャスワント・シン1世によって建てられた。

ジャスワント・シン1世廟 ★☆☆

Dewal Jaswant Singh I ⓗ देवल जसवंत सिंह ⓤ مقبرہ جسونت سنگھ

マンドールの墓廟群のなかで、アジット・シンのものとならんで立派なジャスワント・シン1世の墓廟。マハラジャ・ジャスワント・シン1世(在位1638～78年)は、ムガル帝国アウラングゼーブ帝の治下で、もっとも有力な王として活躍し、グジャラート、アジメール、デカン、カブールなどで総督をつとめた(ジャスワント・シン1世の時代からマールワール王は、マハラジャの称号をもつようになった)。この墓廟は、マハラジャがペシャワールでなくなったあとの1720年にアジット・シンによって建設され、八角形の土台のうえに本体、巨大な柱に支えられた回廊が見られる。

アジット・シン廟 ★★☆

Dewal Maharaja Ajit Singh ⓗ देवल अजीत सिंह／ⓤ مقبرہ اجیت سنگھ

ジャスワント・シン1世の息子で、マールワール王国屈指の王であったマハラジャ・アジット・シン(在位1707年～24年)の墓廟。1707年、ムガル帝国のアウラングゼーブ帝がなくなると、ムガル帝国の勢力をアジメールから追い払い、マールワール王国を独立させた(アジット・シンはメーワール＝ウダイプル、ジャイプルとともに同盟を結んだ)。マハラジャは息子のバカット・シンに殺害され、その後、1793年にこのアジット・シン廟が建てられた。マハラジャの死にあたって、その妻たちがサティーを行なったという。ジョードプル王族の墓廟群の最北に位置し、仏教とジャイナ教の要素もとり入れた北インドのヒンドゥー寺院様式となっていて、シカラ屋根をもち、壁面には彫刻がほどこされている。

エク・タンバ・マハル ★★☆

Ek Thamba Mahal／ⓗ एक थम्बा महल ⓤ ایک تھمبا محل

マンドール・フォートの近くに立つ宮殿エク・タンバ・

マンドールで最高の建築アジット・シン廟

シカラが連なる墓廟群は、ラジャスタンではめずらしい

マールワール王国の王たちの名前が刻まれている

赤砂岩を利用した北インドの寺院様式の建築となっている

マハル。3層からなり、頂部にドームを載せる宮殿は、「単柱宮殿（1本の柱の宮殿）」を意味する。八角形のプランをもち、外側には透かし窓がほどこされている。これはジョードプルの王族女性が外の世界を見ることができるように設計されたもので、ちょうどジャイプルの「ハワ・マハル（風の宮殿）」と同じ意味合いをもつ（エク・タンバ・マハルも、またハワ・マハルと呼ばれた）。2層目にアンブレラ状の窓枠が見える。

神々の間 ★☆☆

Hall of Deities　ⓗहॉल ऑफ गोड／ⓤخدا کا ہال

ヒンドゥー教の男性神や女神がまつられた神々の間。マハラジャ・アベイ・シン（在位1724～49年）によって整備され、33の列柱が続き、ジョードプル王家の守護神であるチャームンダ女神はじめ、マヒシャスルマルダーニ、ゴサイジー、パブジー、ラムデブジーなどの彫像が安置されている。神々が無数にいることから、33カロールの寺院ともいい、カロールとは1000万をさす（3億3000万の神々が棲むという）。

英雄の間 ★☆☆

Hall of Heroes　ⓗहॉल ऑफ हेरोएस／ⓤہیرو کا ہال

マールワール王国のマハラジャで、マンドールでもっとも立派な墓廟をもつアジット・シン（在位1707～24年）によって整備された英雄の間。マールワール王国のマハラジャや英雄の像が見られ、現在はジョードプル政府博物館となっている。

マンドール・フォート ★☆☆

Mandore Fort　ⓗमंडोर का दुर्ग／ⓤقلعہ منڈور

ジョードプル遷都以前のマールワール王国の宮殿があったマンドール・フォート（ちょうどジョードプルのメヘラン

ガル・フォートに対応する）。マンドール・フォートからは4世紀のグプタ朝時代の碑文が発見されていて、そのころからこの地方の中心であったと考えられている（仏教徒の活動の痕跡も見られるという）。その後、プラティハーラなどのラージプート諸族の都があったが、ガンジス河から西方に遷ってきたジョードプル王家の第12代ラオ・チュンダ（在位1384～1428年）が1394年にこの地を獲得し、1459年までの65年間、マールワール王国の都がおかれていた。ジョードプルに遷された王家の守護女神をまつったチャームンダ女神寺院、ナハール・シンジー寺院、ヴィシュヌ寺院、ブラフマー寺院などの寺院跡、またイスラム聖者廟のターナー・ピア・ダルガーが残る。ジュナガル・フォート、オールド・フォートともいう。

パンチャ・クンド記念碑 ★☆☆

Panch Kund Cenotaphs ㊝पंचकुंड छतरियां ㋒پانچکنڈ چھتریں

マンドール遺跡群の最奥部にはパンチャ・クンド（5つの池）というヒンドゥー教の聖地があった。1394年からこの地に都をおいたラートール・ラージプート（ジョードプル王家）は、このパンチャ・クンドのほとりに王墓を築き、インド・イスラム様式のチャトリ群が点在する。そのなかにはマンドールで王国を築いたラオ・チョンダ（在位1394～1423年）、ジョードプルに遷都したラオ・ジョーダ（在位1453～88年）、ラオ・ガンガ（在位1515～31年）といったマールワール王国の黎明期を築いた王たちの慰霊碑も残る。ラオ・チュンダのチャトリは、チュンダの息子カンハ（在位1424～27年）によって建てられた。

強い日差しが照りつける、ここは砂漠のオアシス

柱と梁を使ったヒンドゥー建築

こちらはラジャスタンでしばしば見られるドーム屋根をもつチャトリ(墓)

シヴァ神と三叉の戟の図が飾られている

South West Jodhpur

市街南西城市案内

タール砂漠へ続くジョードプルの西郊外
砂漠のオアシスにあたる湖が広がり
新・新市街とも言えるシャストリーナガルも位置する

シャストリー・サークル ★☆☆

Shastri Circle ㋪शास्त्री सर्कल／㋒شاستری سرکل

ジョードプル南西部に広がる新市街シャストリーナガルの起点になるシャストリー・サークル。円形サークル中心の高い基壇のうえに、インドの政治家シャストリー（1904〜66年）の彫像がおかれている。夜はライトと噴水で彩られる。

中央乾燥地帯研究所 ★☆☆

Central Arid Zone Research Institute／
㋪केन्द्रीय शुष्क क्षेत्र अनुसंधान संस्थान ㋒سنٹرل خشک زون ریسرچ انسٹی ٹیوٹ

本格的なタール砂漠の東の入口にあたり、降水量の少ないジョードプル。中央乾燥地帯研究所では砂漠地帯の農業、灌漑、資源利用などの研究が進められ、1952年に創立されたのち、1959年に現在の姿となった。

シッディナート寺院 ★☆☆

Siddhnath Mandir／㋪सिद्धनाथ मंदिर ㋒سدھناتھ مندر

ジョードプル郊外の丘陵に立つシヴァ派のシッディナート寺院。人の訪れないさびれた場所だったが、隠者ヴェトラギ・ナライン・スワミが庵を結んだことで巡礼地となった。その後、「ネパールのババ」と呼ばれるガウリ

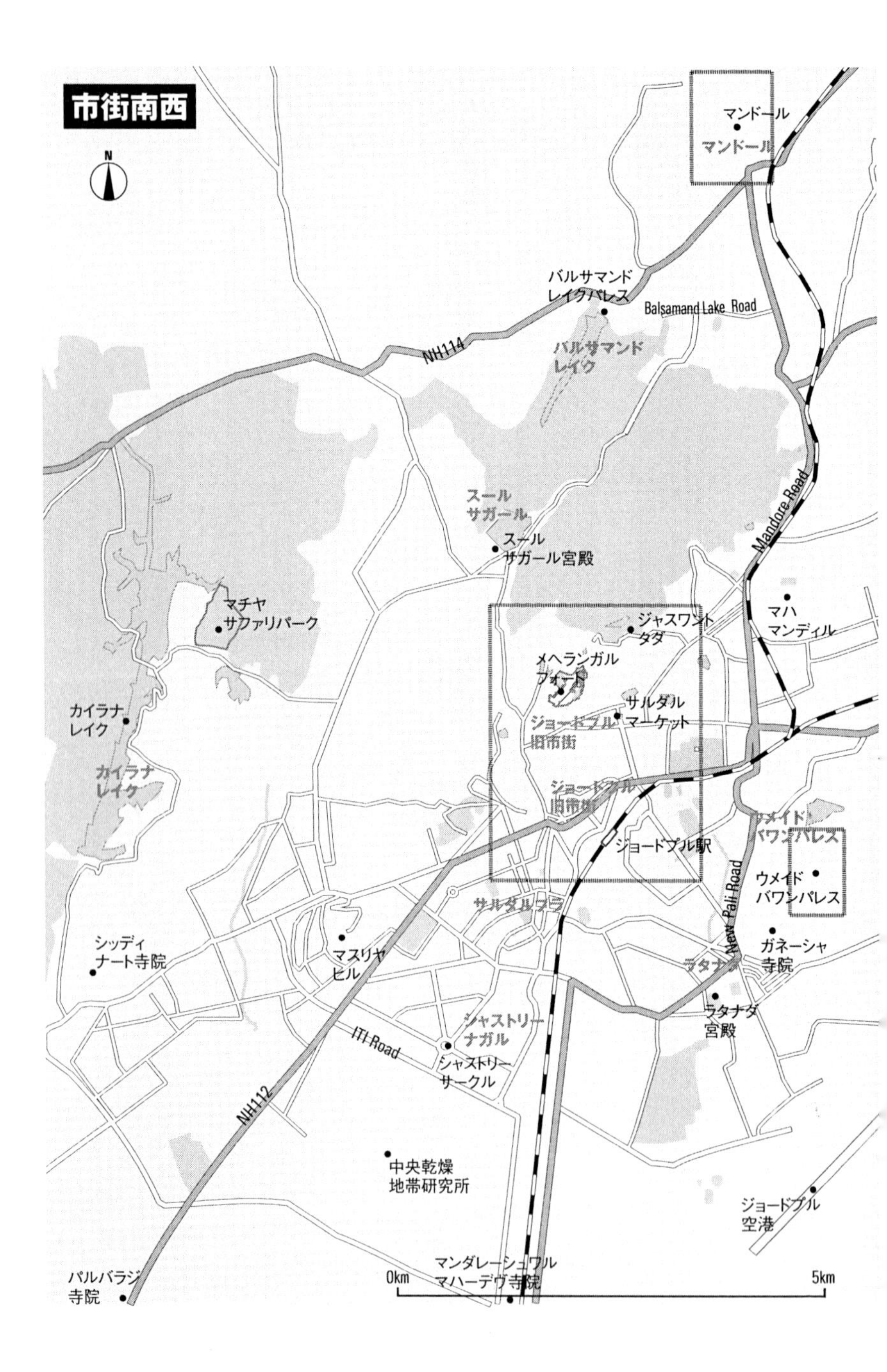

市街南西
N
マンドール
マンドール
バルサマンド
レイクパレス
Balsamand Lake Road
バルサマンド
レイク
NH114
Mandore Road
スール
サガール
スール
サガール宮殿
マチヤ
サファリパーク
ジャスワント
タダ
マハ
マンディル
メヘランガル
フォート
カイラナ
レイク
サルダル
マーケット
ジョードプル
旧市街
カイラナ
レイク
ジョードプル
旧市街
ウメイド
バワンパレス
ジョードプル駅
New Pali Road
ウメイド
バワンパレス
サルダルプラ
シッディ
ナート寺院
マスリヤ
ヒル
ガネーシャ
寺院
ラタナダ
ラタナダ
宮殿
シャストリー
ナガル
ITI Road
シャストリー
サークル
NH112
中央乾燥
地帯研究所
ジョードプル
空港
マンダレーシュワル
マハーデヴ寺院
パルバラジ
寺院
0km
5km

シャンカルが石を削って大きな寺院をつくって現在にいたる。ガウリシャンカルは手足とも4本指の聖者だった。

マスリヤ・ヒル ★☆☆

Masuriya Hills／㋪मसूरिया हिल／㋒مسوریہ پہاڑی

ジョードプル南西郊外にそびえる丘陵マスリヤ・ヒル。ラジャスタン州の三大庭園のひとつで、ジョードプル市民の憩いの場となっている。ラジャスタンで信仰されるラムデブジーの寺院が立っている。

カイラナ・レイク ★☆☆

Kaylana Lake／㋪कायलाना लेक／㋒کیلنہ جھیل

ジョードプルの西8kmに広がるカイラナ・レイク。かつてジョードプル王家の離宮と庭園があったところで、1872年、プラタップ・シンによって人造湖として整備された。ジョードプルの貴重な水源になっているほか、美しい夕陽を見られる。もともとビーム・シン(在位1793～1803年)

★★★

メヘランガル・フォート *Mehrangarh Fort*
ジャスワント・タダ *Jaswant Thada*
ジョードプル旧市街 *Old Jodhpur*
ウメイド・バワン・パレス *Umaid Bhawan Palace*
マンドール *Mandore*

★★☆

サルダル・マーケット *Sardar Market*
マハ・マンディル *Maha Mandir*

★☆☆

シャストリー・サークル *Shastri Circle*
中央乾燥地帯研究所 *Central Arid Zone Research Institute*
シッディナート寺院 *Siddhnath Mandir*
マスリヤ・ヒル *Masuriya Hills*
カイラナ・レイク *Kaylana Lake*
マチヤ・サファリパーク *Machiya Safari Park*
パル・バラジ寺院 *Pal Balaji Mandir*
マンダレーシュワル・マハーデヴ寺院 *Mandaleshwar Mahadev Mandir*
ガネーシャ寺院 *Ganesh Mandir*
ラタナダ宮殿 *Ratanada Polo Palace*
バルサマンド・レイク・パレス *Balsamand Lake Palace*
スール・サガール宮殿 *Soor Sagar Palace*

とタカット・シン(在位1843～73年)による宮殿と庭園があったが、それらはカイラナ・レイクを作るために破壊された。2003年にインディラ・ガンジー運河から水がひかれ、安定した水位をたもつようになった。

マチヤ・サファリパーク ★☆☆

Machiya Safari Park／㋪ माचिया सफारी पार्क／㋒ ماچیا سفاری پارک

カイラナ・レイクのそばに整備されたマチヤ・サファリパーク。鹿、砂漠のキツネ、オオトカゲ、ウサギ、野生の猫、マングースなど、この地方に生きる動物が見られるほか、バード・ウォッチングも楽しめる。

パル・バラジ寺院 ★☆☆

Pal Balaji Mandir／㋪ पाल बालाजी मंदिर／㋒ پال بالاجی مندر

ジョードプル南西郊外に残るヒンドゥー教のパル・バラジ寺院。パル・バラジ神をまつる寺院建築はこぶりだが、この地方の砂岩でつくられ、ピラミッド型屋根を載せる。

マンダレーシュワル・マハーデヴ寺院 ★☆☆

Mandaleshwar Mahadev Mandir／㋪ मंडलेश्वर महादेव मंदिर
㋒ منڈلیشور مہادیو مندر

ジョードプルでもっとも古くからある寺院と考えられているマンダレーシュワル・マハーデヴ寺院。1459年にジョードプルが建設される500年以上前の923年の創建で、シヴァ神とパールヴァティー女神の画が見られる。

भारतीय जनता पार्टी को प्रचण्ड
आशिक़ ऐ रसूल

Around Jodhpur

ジョードプル郊外城市案内

**古都マンドールやオシアン
ジョードプル郊外には
いくつかの景勝地が残る**

グダ・ビシュノイ村 ★☆☆

Guda Bishnoi／Ⓗ गुडा बिश्नोई ग्राम／Ⓤ گوڈا بشنوئی گاؤں

グダ・ビシュノイ村は、ジョードプルの南25㎞郊外に残るマールワール地方の伝統的な集落。自然崇拝や菜食主義など、この地方の昔ながらの生活や伝統、習慣が見られる。近くのグダ・ビシュノイ湖には渡り鳥、クジャク、鹿、カモシカ、ガゼルなどが生息し、美しい光景が広がっている。

サルダル・サマンド・レイクパレス ★☆☆

Sardar Samand Lake Palace／Ⓗ सरदार समंद पैलेस　Ⓤ سردار سمند محل

ジョードプルから50km南西に離れたサルダル・サマンド湖のほとりに立つサルダル・サマンド・レイクパレス。18世紀から王家の夏の離宮があった場所で、1933年にマハラジャ・ウメイド・シン（在位1918～47年）が狩猟を楽しむための宮殿が建てられた。この湖には渡り鳥の群れが訪れる。

ジャスワント・サーガル・ダム ★☆☆

Jaswant Sagar Dam　Ⓗ जसवंत सागर बांध／Ⓤ جسونت ساگر ڈیم

ラジャスタンを北東から南西に向かって流れるルーニー川にもうけられたジャスワント・サーガル・ダム。

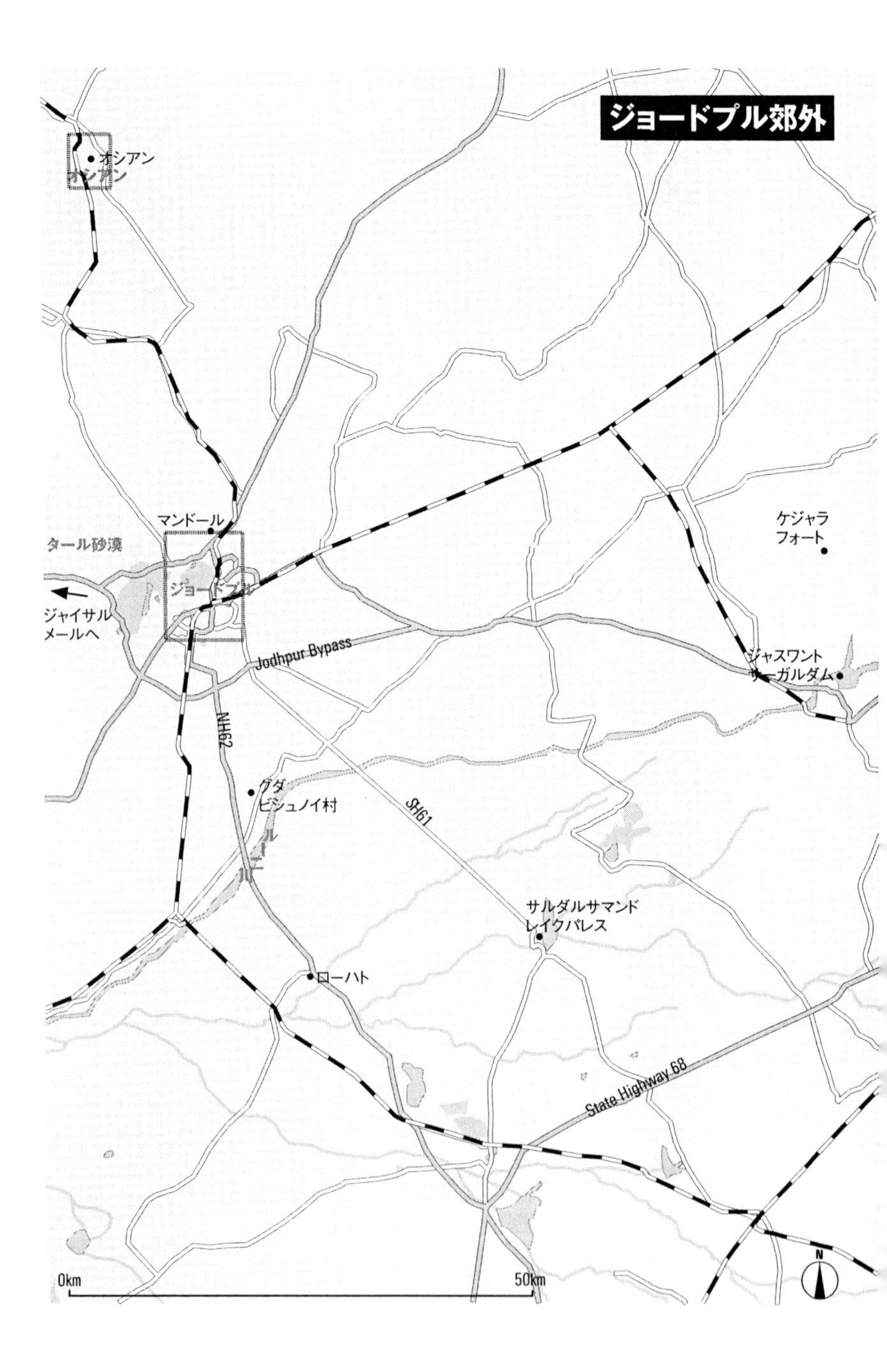
ジョードプル郊外
オシアン
オシアン
マンドール
タール砂漠
ジョードプル
ジャイサルメールへ
Jodhpur Bypass
NH62
SH61
グダ
ビシュノイ村
ケジャラ
フォート
ジャスワント
サーガルダム
サルダルサマンド
レイクパレス
ローハト
State Highway 68
0km
50km
N

1892年、マハラジャ・ジャスワント・シン2世(在位1873～95年)によるもので、水の安定供給を可能にしたほか、景勝地としても人気が高い。

ケジャラ・フォート ★☆☆

Khejarla Fort　Ⓗ खेजड़ला किला／Ⓤ کھیجڑلا قلعہ

マールワールの田園地帯、小さな丘に立つ赤砂岩のケジャラ・フォート。1611年、この地方を領地としていたマハラジャ・ゴパール・ダースジーによって建てられて以来、400年以上の伝統を誇る。ケジャラの王族は、ジャイサルメール王族の末裔で、もっとも繁栄した時代は、400人の使用人、125頭の馬、15頭のラクダを擁したという(マールワール王国の東の要衝にあたり、ムガル帝国とラージプートとのあいだでここで激戦が交わされた)。窓枠にほどこされた装飾や城壁でラジャスタン建築の特徴が見られ、アーチ型の門、中庭、王室の女性たちのためのゼナナ・マハル、王族男性のためのマルダナ・マハルなどが残る。ジョードプルの東85km。

タール砂漠 ★☆☆

Thar Desert／Ⓗ थार रेगिस्तान　Ⓤ صحرائے تھر

タール砂漠は長さ800km、幅320kmの広大な砂漠で、大インド砂漠とも呼ばれる。雨が少なく、不規則な降雨量と気温が50度まで上昇する乾燥地帯は、マールワールの

★★★
マンドール *Mandore*

★★☆
オシアン *Osian*

★☆☆
グダビシュノイ村 *Guda Bishnoi*
サルダル・サマンド・レイクパレス *Sardar Samand Lake Palace*
ジャスワント・サーガル・ダム *Jaswant Sagar Dam*
ケジャラ・フォート *Khejarla Fort*
タール砂漠 *Thar Desert*

風土や人間に大きな影響をあたえてきた。この地方は古くはインダス文明が栄えていたが、紀元前2000〜前1500年ごろから乾燥期がはじまり、紀元前後に砂漠化した。1947年、タール砂漠を縦断するように国境が敷かれたため、インドとパキスタンの両国にまたがっている。

Osian

オシアン城市案内

「ラジャスタンのカージュラホ」
ともたたえられるオシアン
中世以来のマールワールの聖地

オシアン ★★☆

Osian ㋪ ओसियां／㋒ اوسیان

　タール砂漠を往来するキャラバンの交易オアシス都市を前身とするオシアン。これらの交易をになったジャイナ商人などの寄進によって、8〜11世紀に建てられたヒンドゥー教やジャイナ教の寺が残る。マールワールの宗教的中心地として、オシアンには最盛期、約100の寺院があったという（オシアンはジャイナ教オズワル派とマヘシュワリ派の聖地で、のちに広義のマールワーリー商人の一角をになった）。こうして中世インドで最高の繁栄を見せたマールワールの文化的、商業古都オシアンもイスラム教徒の侵略で破壊をこうむり、街は廃墟と化していった。しかし、現在も18ほどの寺院が残り、「ひとつとして似た寺院はない」と言われるほど、寺院の様式は多彩なものとなっている。またタール砂漠と砂丘への足がかりにもなる。ジョードプルの北西65㎞。

オシアンのかんたんな歴史

　オシアンはグプタ朝時代の6世紀ごろには、タール砂漠の交易都市だったと知られ、その後、ラージプートのプラティハーラ朝（8〜11世紀）の勢力下にあった。10世紀、ビ

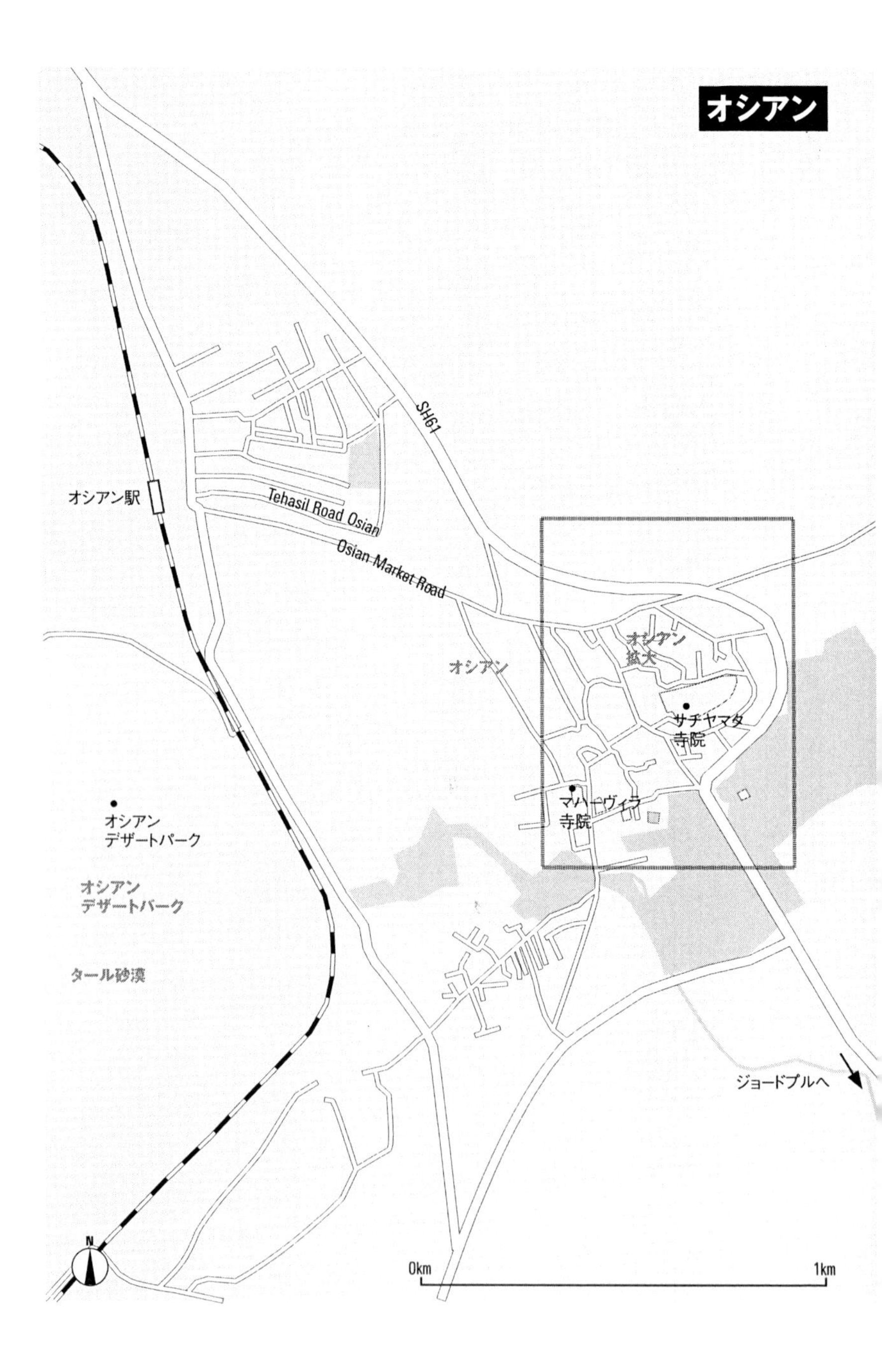

オシアン
SH61
オシアン駅
Tehasil Road Osian
Osian Market Road
オシアン
オシアン
拡大
サチヤマタ
寺院
マハーヴィラ
寺院
オシアン
デザートパーク
オシアン
デザートパーク
タール砂漠
ジョードプルへ
N
0km
1km

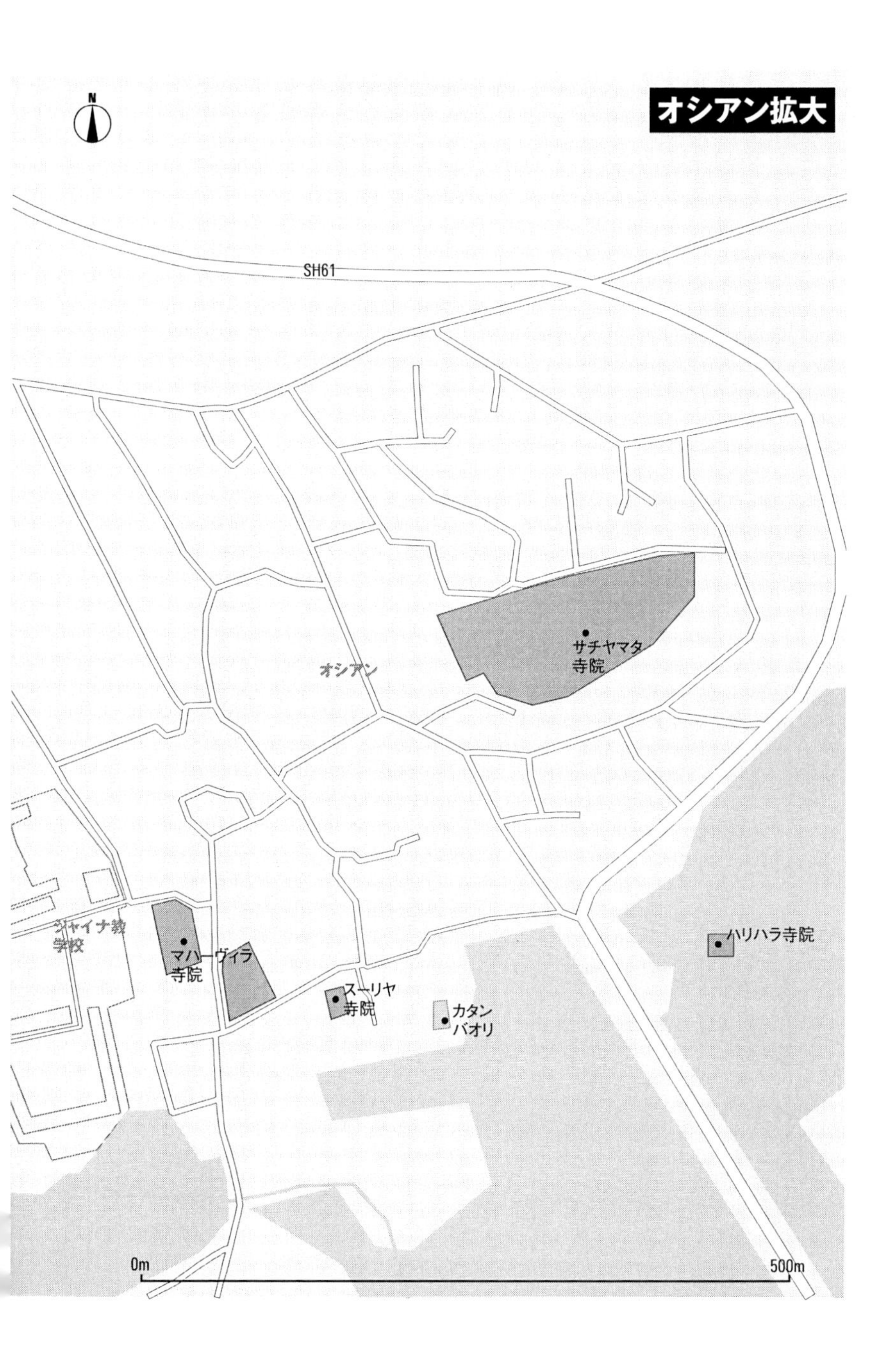

オシアン拡大
N
SH61
サチヤマタ
寺院
オシアン
ジャイナ教
学校
マハーヴィラ
寺院
スーリヤ
寺院
カタン
バオリ
ハリハラ寺院
0m
500m

ンマルの王子ウッパラデーヴァがマンドールのプラティハーラ王のもとに避難し、その支援を受けてオシアンの街はつくられた(オシアンとはマールワーリー語で「シェルター」を意味する)。それまでオシアンではヒンドゥー教のチャームンダー女神が信仰されていたが、ウッパラデーヴァがジャイナ教信者となったことで、ジャイナ教の勢力が強くなったと伝えられる。こうして交易に従事するジャイナ教徒の商人の聖地としてオシアンは繁栄したが、1195年にイスラム教徒の侵略者によって破壊された。

サチヤ・マタ寺院 ★★☆

Sachiya Mata Mandir／Ⓗ सच्चियाय माता मंदिर　ⓤ سچیا ماتا مندر

　オシアン北東の丘陵上に立つヒンドゥー教の女神をまつったサチヤ・マタ寺院。サチヤ・マタ女神はインドラ神のサチ夫人(インドラニ)のことで、寺院は10世紀、街を築いたウッパラデーヴァによる創建と伝えられる。当初、オシアンでは大地母神へのシャクティ信仰が盛んだったが、ウッパラデーヴァの改宗とともにジャイナ教が優勢になった。ジャイナ教徒は菜食主義であるから、肉の食物や奉納物が少なくなり、サチヤ・マタ女神は激怒した。オシアンの住人は一度は逃げようとしたが、子宝の願いをかなえる女神をやはり信仰し、このサチヤ・マタ寺院に供物を捧げることにした。こうしてジャイナ教徒の聖地であるオシアンでも、マハーヴィラ寺院とともにサチヤ・マタ寺院に巡礼者が途絶えることはなくなった。

★★☆

オシアン *Osian*
サチヤ・マタ寺院 *Sachiya Mata Mandir*
カタン・バオリ *Katan Baori*
マハーヴィラ・ジャイナ寺院 *Mahavira Jain Mandir*

★☆☆

ハリハラ寺院 *Harihara Mandir*
スーリヤ寺院 *Surya Mandir*
オシアン・デザート・パーク *Osian Desert Park*
タール砂漠 *Thar Desert*

砂がさまざまな表情を見せるオシアンのタール砂漠

ハリハラ寺院 ★☆☆

Harihara Mandir／Ⓗ हरिहर मंदिर　Ⓤ ہری ہر مندر

ハリハラとはヴィシュヌ神とシヴァ神の融合した神さまで、オシアンにはいくつかのハリハラ寺院が残っている。このハリハラ寺院はオシアンに現存する寺院のなかで古いものだと考えられていて、8〜9世紀ごろに創建をさかのぼる。

カタン・バオリ ★★☆

Katan Baori　Ⓗ कातन बावड़ी　Ⓤ کاتان باوری

10世紀に造営された階段井戸のカタン・バオリ。乾燥したタール砂漠では雨水を生活水として利用するために階段井戸が掘られてきた。カタン・バオリは正方形のプランに、周囲から階段が底に向かって連続し、どの水位でも水をとれるようになっている。

スーリヤ寺院 ★☆☆

Surya Mandir　Ⓗ सूर्य मंदिर　Ⓤ سورج مندر

太陽神スーリヤをまつったスーリヤ寺院。北インドで発展したシカラ屋根をもつ様式で、寺院壁面には彫像がほどこされている。ジャイナ教が優勢になる以前のプラティハーラ朝(8〜11世紀)時代のオシアンでは、太陽神をまつる寺院が街の中心にあったと伝えられている。

マハーヴィラ・ジャイナ寺院 ★★☆

Mahavira Jain Mandir／Ⓗ महावीर जैन मंदिर　Ⓤ مہاویر جین مندر

マールワール地方のジャイナ教徒から信仰を集めるマハーヴィラ・ジャイナ寺院。783年、プラティハーラ朝のヴァツァラージャ王による創建と伝えられ、その後、11世紀に再建された。紀元前6世紀ごろのジャイナ教の始祖マハーヴィラがまつられていて、ジャイナ教は、不殺生(アヒンサー)、真実語、不盗、不淫、無所有の戒律をもつ。とくに西インドで大学者ヘーマチャンドラ（1088～1172年）が出て、王朝に保護されたことから、グジャラートやラジャスタンなどで影響力が強く、バラモンの犠牲祭を批判し、小さな虫を踏まないようにほうきではきながら歩いたり、口に虫が入らないようにマスクをするなどの特徴がある。力強くそびえ立つシカラ屋根、壁面いっぱいに彫像や彫刻などが本体にほどこされ、周囲に7つの補助的な祠堂を配する。北東部に立つサチヤ・マタ寺院に対して、旧市街の西側に立ち、ジャイナ教の聖地オシアンを代表する寺院となっている。

オシアン・デザート・パーク ★☆☆
Osian Desert Park　ⓗ ओसियां डेजर्ट पार्क　ⓤ اوسیان صحرا پارک

タール砂漠の大自然に展開するオシアン・デザート・パーク（オシアン砂漠公園）。タール砂漠は4分の3がインド側に、残りの4分の1はパキスタンに位置する。オシアンはちょうどタール砂漠を横断する隊商のオアシスとなってきたところで、商人として活躍したジャイナ教徒の巡礼地にもなっていた。このタール砂漠のうち、西半分は乾燥して砂丘が多い「砂漠」で、東半分は岩などが点在する「沙漠」となっていて、オシアン・デザート・パークにはこの地に生きる野生生物も多く生息する。

カージュラホのものと共通するマールワールのヒンドゥー建築

砂漠地帯の庭園は楽園を意味した

「砂漠の船」ラクダが闊歩する

Machi No Utsurikawari

城市のうつりかわり

ジョードプルを中心とするマールワール地方
武勇で知られた騎士階級の
ラートール・ラージプート根拠地

ジョードプル以前(～15世紀)

ラージプート諸族は、5世紀なかば、フン族とともにインドへ侵入した外来民族やヒンドゥー世界の枠外にいた原住民の流れをくむと考えられる。8～12世紀、北インドにはこうしたラージプートの諸王朝が割拠し、インドの民を守る古代クシャトリアの末裔であると称した。ジョードプルのラートール王家の祖先はラーマ王子を描いた『ラーマーヤナ』に系譜をさかのぼるという。アヨーディヤー近くのカナウジにいた王家の祖先は、イスラム勢力の侵入を受けてラジャスタンの地(ジョードプル近くのパリ)へ逃れ、ラートール・シアージ(在位1212～73年)はこの地の王子の妹と結婚して地盤を強め、1212年、氏族国家を樹立した(シアージは、ガーハダヴァラーラ朝最後の王ジャイ・チャンドの孫)。それからしばらくして、1394年、マールワール地方の中心マンドールにいたプラティハーラ家に勝利して、ラートール王家はジョードプル北8kmのマンドールに首都をおいた。それから65年後の1459年、土地の狭さなどから、第12代ラオ・ジョーダ(在位1438～88年)が自らの名前を冠したジョードプルに遷都した。こうしてジョードプルの歴史ははじまった。

マールワール王国(15〜17世紀)

中世、北インドはデリーに都をおくイスラム教デリー・サルタナット朝(13〜16世紀)の統治が続き、武勇で知られるラージプート諸王朝は半独立状態を保っていた(ジョードプルとウダイプルがもっとも優勢だった)。こうしたなか、より強大なイスラム王朝のムガル帝国が樹立され、第3代アクバル帝はラージプート諸族と婚姻関係を結ぶ政策をとった。1570年、マールワール王国(ジョードプル)はムガル帝国を宗主と認め、帝国のなかで「諸王の王」と言える有力な地位をもっていた。ムガル帝国はマールワール王国から得たアジメールに拠点をおいてラージプート諸国を監視したが、第6代アウラングゼーブ帝の時代以降、ラージプート諸国は帝国から離反していった。この時代、ジョードプルは、ラオ・マールデーオ(在位1531〜62年)、ジャスワント・シン(在位1637〜80年)といった名君を輩出している。

ジョードプル藩王国(18〜20世紀)

18世紀以降にムガル帝国が弱体化すると、ジョードプルのマハラジャ・アジット・シン(在位1707〜24年)はアジメールのムガル勢力を追い出し、マールワール王国(現在のジョードプル)の領土とした。それから100年、マールワール王国は最高の繁栄を見せていたが、やがて西部デカン高原に拠点をおくマラータがラジャスタンに進出するようになった。こうしたなかの1818年、ラージプート諸国はイギリスの保護国となることを選び、ジョードプル藩王国の半独立状態は続いた。一方、イギリス側から見ると、人びとから親しまれているマハラジャを通じて間接統治を行なう政策だった。イギリス統治時代、ラージプターナ(ラージプートの地)と呼ばれたラジャスタン地方にはジョードプル、ジャイプル、ウダイプルを中心に19の藩王国があったが、ジョードプルはこのラージプターナで最大の領土をもっていた（イギリス統治時代のインドは、イギリス直轄領と大小600ほどの藩王国から構成された）。

現代（20世紀〜）

名君マハラジャ・ウメイド・シン（在位1918〜47年）の治世にジョードプルは近代都市へと成長をとげ、現在見られるような街区構成となった。ジョードプル旧市街から見て、鉄道駅の反対側に新市街が建設され、街は拡大を続けている。1947年の印パ分離独立にあたって、ジョードプル藩王国はインドのラジャスタン州へ編入された。ラジャスタン州の州都はジャイプルにおかれ、ジョードプルはそれに次ぐ第2の都市となっている。またジョードプルのマハラジャと一族は今なおウメイド・バワン・パレスに暮らし、かつての宮殿はホテルに転用されている。この街には中央乾燥地帯研究所がおかれ、タール砂漠の厳しい環境や自然の研究も行なわれている。

参考文献

『世界歴史の旅北インド』(辛島昇・坂田貞二/山川出版社)
『インド建築案内』(神谷武夫/TOTO出版)
『マハラジャ宮殿を中心としたインド・ジョドプール市の石造建築物群の地震リスク評価』(京都大学防災研究所/京都大学防災研究所)
『ムガル帝国から英領インドへ』(佐藤正哲/中央公論社)
『インド北部地域都市広場形態についての考察』(芦川智・金子友美・鶴田佳子・高木亜紀子・徳永陽子/學苑)
Historic City Centers, Jodhpur | CEPT Portfolio https://portfolio.cept.ac.in/archive/historic-city-centers-jodhpur/
『Between History and Memory, the Blue Jodhpur』(M Balzani, J Minakshi, L Rossato)
『Jodhpur. 2nd ed』(Jodhpur Govt. Press)
『A short account of Jodhpur』(Scottish Mission Industries)
जूनी मंडी मे लगता था हाट बाजार (आरफि मंसूरी/https://www.patrika.com/)
『Rajasthan's Blue City is a painter's canvas [Travel]』(Mitra, Ipshita/『The Times of India』)
देवस्थान डपािर्टमेंट, राजस्थान https://devasthan.rajasthan.gov.in/temple.asp
Jodhpur - Jodhpur Tourism - Jodhpur City Guide http://www.jodhpurindia.net/
Jodhpur Urban Regeneration City Map Illustration - Rod Hunt https://rodhunt.com/jodhpur-urban-redevelopment-project-map-illustration
Rao Jodha Desert Rock Park https://www.raojodhapark.com/
Incredible Jodhpur https://www.incrediblejodhpur.com/
『World Heritage Day: सूर्यनगरी मे है एसा जहाज, जहां कभी चलता था रेडयिो स्टेशन』(Harshwardhan bhati/https://www.patrika.com/)
Pragat Santoshi Mata Temple http://www.pragatsantoshimata.com/
Shree Ratanada Sidha Gajanand ji http://www.ratanadaganesh.com/
The Jodhpur Lore https://www.thejodhpurlore.com/
ARCHAEOLOGICAL SURVEY OF INDIA JAIPUR CIRCLE http://asijaipurcircle.nic.in/
『Department of Architecture and Town Planning』(M.B.M. Engineering College, JNV University Jodhpur, Rajasthan)
『Royal umbrellas of stone : memory, politics, and public identity in Rajput funerary art』(Melia Belli Bose/Brill's Indological library)
『CONSERVING ARCHITECTURE』(KULBHUSHAN JAIN)
Jodhpur Search http://www.jodhpursearch.com/
Sardar Samand Lake Palace http://sardarsamand.jodhanaheritage.com/
Department of Archaeology & Museums, Rajasthan http://museumsrajasthan.gov.in
Heritage Hotel in Jodhpur, Fort Khejarla Jodhpur https://jodhpurfortkhejarla.com/
OpenStreetMap
(C)OpenStreetMap contributors
挿絵 The Metropolitan Museum of Art所蔵

まちごとパブリッシングの旅行ガイド

Machigoto INDIA , Machigoto ASIA , Machigoto CHINA

北インド-まちごとインド

001 はじめての北インド
002 はじめてのデリー
003 オールド・デリー
004 ニュー・デリー
005 南デリー
012 アーグラ
013 ファテープル・シークリー
014 バラナシ
015 サールナート
022 カージュラホ
032 アムリトサル

016 アジャンタ
021 はじめてのグジャラート
022 アーメダバード
023 ヴァドダラー（チャンパネール）
024 ブジ（カッチ地方）

東インド-まちごとインド

002 コルカタ
012 ブッダガヤ

西インド-まちごとインド

001 はじめてのラジャスタン
002 ジャイプル
003 ジョードプル
004 ジャイサルメール
005 ウダイプル
006 アジメール（プシュカル）
007 ビカネール
008 シェカワティ
011 はじめてのマハラシュトラ
012 ムンバイ
013 プネー
014 アウランガバード
015 エローラ

南インド-まちごとインド

001 はじめてのタミルナードゥ
002 チェンナイ
003 カーンチプラム
004 マハーバリプラム
005 タンジャヴール
006 クンバコナムとカーヴェリー・デルタ
007 ティルチラパッリ
008 マドゥライ
009 ラーメシュワラム
010 カニャークマリ
021 はじめてのケーララ
022 ティルヴァナンタプラム
023 バックウォーター（コッラム～アラップーザ）

024　コーチ（コーチン）
025　トリシュール

ネパール-まちごとアジア

001　はじめてのカトマンズ
002　カトマンズ
003　スワヤンブナート
004　パタン
005　バクタプル
006　ポカラ
007　ルンビニ
008　チトワン国立公園

バングラデシュ-まちごとアジア

001　はじめてのバングラデシュ
002　ダッカ
003　バゲルハット（クルナ）
004　シュンドルボン
005　プティア
006　モハスタン（ボグラ）
007　パハルプール

パキスタン-まちごとアジア

002　フンザ
003　ギルギット（KKH）
004　ラホール
005　ハラッパ
006　ムルタン

イラン-まちごとアジア

001　はじめてのイラン
002　テヘラン
003　イスファハン
004　シーラーズ
005　ペルセポリス
006　パサルガダエ（ナグシェ・ロスタム）
007　ヤズド
008　チョガ・ザンビル（アフヴァーズ）
009　タブリーズ
010　アルダビール

北京-まちごとチャイナ

001　はじめての北京
002　故宮（天安門広場）
003　胡同と旧皇城
004　天壇と旧崇文区
005　瑠璃廠と旧宣武区
006　王府井と市街東部
007　北京動物園と市街西部
008　頤和園と西山
009　盧溝橋と周口店
010　万里の長城と明十三陵

天津-まちごとチャイナ

001 はじめての天津
002 天津市街
003 浜海新区と市街南部
004 薊県と清東陵

上海-まちごとチャイナ

001 はじめての上海
002 浦東新区
003 外灘と南京東路
004 淮海路と市街西部
005 虹口と市街北部
006 上海郊外(龍華・七宝・松江・嘉定)
007 水郷地帯(朱家角・周荘・同里・甪直)

河北省-まちごとチャイナ

001 はじめての河北省
002 石家荘
003 秦皇島
004 承徳
005 張家口
006 保定
007 邯鄲

江蘇省-まちごとチャイナ

001 はじめての江蘇省
002 はじめての蘇州
003 蘇州旧城
004 蘇州郊外と開発区
005 無錫
006 揚州
007 鎮江
008 はじめての南京
009 南京旧城
010 南京紫金山と下関
011 雨花台と南京郊外・開発区
012 徐州

浙江省-まちごとチャイナ

001 はじめての浙江省
002 はじめての杭州
003 西湖と山林杭州
004 杭州旧城と開発区
005 紹興
006 はじめての寧波
007 寧波旧城
008 寧波郊外と開発区
009 普陀山
010 天台山
011 温州

福建省-まちごとチャイナ

001 はじめての福建省
002 はじめての福州
003 福州旧城
004 福州郊外と開発区
005 武夷山

006　泉州

007　厦門

008　客家土楼

広東省-まちごとチャイナ

001　はじめての広東省

002　はじめての広州

003　広州古城

004　天河と広州郊外

005　深圳（深セン）

006　東莞

007　開平（江門）

008　韶関

009　はじめての潮汕

010　潮州

011　汕頭

遼寧省-まちごとチャイナ

001　はじめての遼寧省

002　はじめての大連

003　大連市街

004　旅順

005　金州新区

006　はじめての瀋陽

007　瀋陽故宮と旧市街

008　瀋陽駅と市街地

009　北陵と瀋陽郊外

010　撫順

重慶-まちごとチャイナ

001　はじめての重慶

002　重慶市街

003　三峡下り（重慶～宜昌）

004　大足

005　重慶郊外と開発区

四川省-まちごとチャイナ

001　はじめての四川省

002　はじめての成都

003　成都旧城

004　成都周縁部

005　青城山と都江堰

006　楽山

007　峨眉山

008　九寨溝

香港-まちごとチャイナ

001　はじめての香港

002　中環と香港島北岸

003　上環と香港島南岸

004　尖沙咀と九龍市街

005　九龍城と九龍郊外

006　新界

007　ランタオ島と島嶼部

マカオ-まちごとチャイナ

001　はじめてのマカオ
002　セナド広場とマカオ中心部
003　媽閣廟とマカオ半島南部
004　東望洋山とマカオ半島北部
005　新口岸とタイパ・コロアン

Juo-Mujin（電子書籍のみ）

Juo-Mujin香港縦横無尽
Juo-Mujin北京縦横無尽
Juo-Mujin上海縦横無尽
Juo-Mujin台北縦横無尽
見せよう! 上海で中国語
見せよう! 蘇州で中国語
見せよう! 杭州で中国語
見せよう! デリーでヒンディー語
見せよう! タージマハルでヒンディー語
見せよう! 砂漠のラジャスタンでヒンディー語

自力旅游中国Tabisuru CHINA

001　バスに揺られて「自力で長城」
002　バスに揺られて「自力で石家荘」
003　バスに揺られて「自力で承徳」
004　船に揺られて「自力で普陀山」
005　バスに揺られて「自力で天台山」
006　バスに揺られて「自力で秦皇島」
007　バスに揺られて「自力で張家口」
008　バスに揺られて「自力で邯鄲」
009　バスに揺られて「自力で保定」
010　バスに揺られて「自力で清東陵」
011　バスに揺られて「自力で潮州」
012　バスに揺られて「自力で汕頭」
013　バスに揺られて「自力で温州」
014　バスに揺られて「自力で福州」
015　メトロに揺られて「自力で深圳」

旅のインド文字

英語
ヒンディー語
ウルドゥー語

英語 ＝ アルファベット
ヒンディー語 ＝ デーヴァナーガリー文字
ウルドゥー語 ＝ ウルドゥー文字

ジョードプル
Jodhpur

जोधपुर

جودھ پور

メヘランガル・フォート
Mehrangarh Fort

मेहरानगढ़ दुर्ग

مہران گڑھ قلعہ

メヘランガル博物館
Mehrangarh Museum

मेहरानगढ़ संग्रहालय

مہران گڑھ میوزیم

ジャイ・ポル（勝利の門）
Jai Pol

जय पोल

جے پول

ローハ・ポル（鉄の門）
Loha Pol

लोहा पोल

لوہا پول

メヘランガル城壁
Mehrangarh Wall

मेहरानगढ़ दीवार

مہران گڑھ وال

シーシュ・マハル
Sheesh Mahal

शीश महल
شیش محل

フール・マハル
Phool Mahal

फूल महल
پھول محل

タハット・ヴィラス
Takhat Villas

तखत विलास
تخت ولاز

サルダル・ヴィラス
Sardar Villas

सरदार विलास
سردار ولاز

ジャンキ・マハル
Jhanki Mahal

झाँकी महल
جھنکی محل

ディパック・マハル
Dipak Mahal

दीपक महल
دیپک محل

モティ・マハル
Moti Mahal

मोती महल
موتی محل

シンガル・チョウク
Singar Chowk

श्रृंगार चौक
شورنگر چوک

ムルリ・マノハル寺院
Murli Manohar Mandir

मुरली मनोहर मंदिर

کرشنا مندر

チャームンダ・デーヴィー寺院
Chamundaji Mandir

चामुंडा जी मंदिर

چمونده مندر

チョケラオ・マハル
Chokhelao Mahal (Chokhelao Bagh)

चोखेलाव महल

چوکھلاو محل

ファテー・ポル（勝利の門）
Fateh Pol (Gate of Victroy)

फतेह पोल

فتح پول

ラニ・サーガル湖
Rani Sagar

रानी सागर

رانی ساگر

パドマ・サーガル湖
Padam Sagar

पदम सागर

پدم ساگر

ラオ・ジョーダ王の像
Rao Jodha Ji Statue

राव जोधा जी की प्रतिमा

راؤ جودھا کا مجسمہ

ジャスワント・タダ
Jaswant Thada

जसवंत थड़ा

جسونت تھاڈا

ラオ・ジョーダ砂漠岩石公園
Rao Jodha Desert Rock Park

राव जोधा डेजर्ट रॉक पार्क
راؤ جودھا صحرائی راک پارک

ジョードプル旧市街
Old Jodhpur

ब्लू सिटी
نیلے شہر

ナイ・サラク
Nai Sarak

नई सड़क
نئی سڑک

ギルディコット・ゲート
Girdikot Gate

गिरडीकोट द्वार
گردیکوٹ گیٹ

サルダル・マーケット
Sardar Market

सरदार मार्केट
سردار مارکیٹ

ガンタ・ガル（クロック・タワー）
Ghanta Ghar

घंटाघर
گھنٹہ گھر

トゥールジ・カ・ジャーララの階段井戸
Toorji Ka Jhalra Bavdi

तूरजी का झालरा बावड़ी
تورجی کا جھلڑا باوری

ラース・ホテル
Raas Hotels

रास होटल
راس ہوٹل

グラブ・サーガル
Gulab Sagar

गुलाब सागर

گلاب ساگر

ウメイド・チョウク
Umaid Chowk

उम्मेद चौक

امید چوک

マハラジャ・ガジ・シン2世シティ・センター
Maharaja Gajsingh II City Centre

महाराजा गजसिंह द्वितीय सिटी सेंटर

مہاراجہ گج سنگھ سٹی سینٹر

ラームシン・キ・ハーヴェリー
Ram Singh Ki Haveli

राम सिंह की हवेली

رام سنگھ کی حویلی

クンジ・ビハーリ寺院
Kunj Bihari Mandir

कुंज बिहारी मंदिर

کنج بہاری مندر

トリポリア・バザール
Tripolia Bazar

त्रिपोलिया बाज़ार

ترپولیا بازار

スーリヤ寺院
Surya Mandir

सूर्य मंदिर

سورج مندر

アチャルナート・シヴァラーヤ寺院
Achal Nath Shivalaya Mandir

अचल नाथ मंदिर

اچل ناتھ مندر

ジュニ・マンディ
Juni Mandi

जूनी मंडी
جونی منڈی

サティヤナラヤンジー・キ・ハーヴェリー
Satyanayaranji Ki Haveli

सत्यनारायणजी की हवेली
ستیانارائن جی کی حویلی

ガンシャム寺院
Ghanshyam Ji Mandir

गंगश्याम मंदिर
گنشیم مندر

サラファ・バザール
Sarafa Bazar

सराफा बाज़ार
صرافہ بازار

エク・ミナール・マスジッド
Ek Minar Masjid

एक मीनार मस्जिद
ایک مینار مسجد

サンスクリット・ヴィディダラーヤ
Sanskrut Vidyalaya

संस्कृत विद्यालय
سنسکرت اسکول

ダンヴィール通り
Danvir Shri Nath Ji Marg

फतेह पोल मार्ग
فتح پول مارگ

シンヴィーズ・ハーヴェリー
Singhvi's Haveli

सिंघवी की हवेली
سنگھوی کی حویلی

ラジ・ランチョードジィ寺院
Raj Ranchhodji Mandir

राज रणछोड जी मंदिर

راجہ رنچھوڑجی مندر

モチ・マーケット
Mochi Market

मोची मार्केट

موچی مارکیٹ

ジャローリ・ゲート
Jalori Gate

जालोरी गेट

جالوری گیٹ

ソジャティ・ゲート
Sojati Gate

सोजती गेट

سوجتی گیٹ

ジョードプル・ジャンクション鉄道駅
Jodhpur Junction Railway Station

जोधपुर जंक्शन रेलवे स्टेशन

جودھپور جنکشن ریلوے اسٹیشن

ジョードプル新市街
New Jodhpur

नया जोधपुर

نیا جودھ پور

ベール・バーグ・ジャイナ教寺院
Bheru Bagh Parshbnath Jain Mandir

भेरू बाग पार्श्वनाथ जैन मंदिर

جین مندر

メフクマ・カース
Mehkma Khas

महकमा खास

مہکما خاص

旧ジュビリー・コート
Old Jubilee Courts

जुबली कोर्ट
جوبلی کورٹ

シルバー・ジュビリー・ブロック
Silver Jubilee Block

सिल्वर जुबली ब्लॉक
سلور جوبلی بلاک

ウメイド・ガーデン
Umed Garden

उमेद गार्डन
امید گارڈن

サルダル博物館
Sardar Government Museum

सरदार राजकीय संग्रहालय
سردار گورنمنٹ میوزیم

ジャマー・マスジッド
Jama Masjid

जामा मस्जिद
جامع مسجد

ジョードプル旧城壁
Old City Walls

पुरानी दीवार
پرانی دیوار

シップ・ハウス
Ship House

शिप हाउस
شپ ہاؤس

チッタールの丘
Chittar Hill

चित्तर पहाड़ी
چتر پہاڑی

ウメイド・バワン・パレス
Umaid Bhawan Palace

उम्मेद भवन पैलेस
امید بھون محل

ウメイド・バワン・パレス博物館
Umaid Bhawan Palace Museum

उम्मेद भवन पैलेस संग्रहालय
امید بھون پیلس میوزیم

ビルカ・バオリ
Birkha Bawari

बिरखा बावरी
برکھا باوری

ライカ・バーグ・パレス
Rai Ka Bagh Palace

राय का बाग पैलेस
رائے کا باغ محل

ガネーシャ寺院
Ganesh Mandir

गणेश मंदिर
گنیش مندر

ラタナダ宮殿
Ratanada Polo Palace

रतनदा पोलो पैलेस
رتنڈا پولو محل

マハ・マンディル
Maha Mandir

महा मंदिर
مہا مندر

バルサマンド・レイク・パレス
Balsamand Lake Palace

बालसमंद लेक पैलेस
بالسمند محل

サントシ・マタ寺院
Santoshi Mata Mandir

संतोषी माता मंदिर
سنتوشی ماتا مندر

スール・サガール宮殿
Soor Sagar Palace

सूरसागर पैलेस
سورساگر محل

マンドール
Mandore

मंडोर
مینڈور

マールデーオ廟
Dewal Maldeo

देवल मालदेव
مقبرہ مال دیو

ウダイ・シン廟
Dewal Udai Singh

देवल उदय सिंह
مقبرہ ادے سنگھ

スール・シン廟
Dewal Sur Singh

देवल सुर सिंह
مقبرہ سور سنگھ

ガジ・シン廟
Dewal Gaj Singh

देवल गज सिंह
مقبرہ گج سنگھ

ジャスワント・シン1世廟
Dewal Jaswant Singh I

देवल जसवंत सिंह
مقبرہ جسونت سنگھ

アジット・シン廟

Dewal Maharaja Ajit Singh

देवल अजीत सिंह

مقبرہ اجیت سنگھ

エク・タンバ・マハル

Ek Thamba Mahal

एक थम्बा महल

ایک تھمبا محل

神々の間

Hall of Deities

हॉल ऑफ गोड

خدا کا ہال

英雄の間

Hall of Heroes

हॉल ऑफ हेरोएस

ہیرو کا ہال

マンドール・フォート

Mandore Fort

मंडोर का दुर्ग

قلعہ مینڈور

パンチャ・クンド記念碑

Panch Kund Cenotaphs

पंचकुंड छतरियां

پانچکنڈ چھتری

シャストリー・サークル

Shastri Circle

शास्त्री सर्कल

شاستری سرکل

中央乾燥地帯研究所

Central Arid Zone Research Institute

केन्द्रीय शुष्क क्षेत्र अनुसंधान संस्थान

سنٹرل خشک زون ریسرچ انسٹی ٹیوٹ

シッディナート寺院

Siddhnath Mandir

सिद्धनाथ मंदिर

سدھاناتھ مندر

マスリヤ・ヒル

Masuriya Hills

मसूरिया हिल

مسوریہ پہاڑی

カイラナ・レイク

Kaylana Lake

कायलाना लेक

کیلنہ جھیل

マチヤ・サファリパーク

Machiya Safari Park

माचिया सफारी पार्क

ماچیا سفاری پارک

パル・バラジ寺院

Pal Balaji Mandir

पाल बालाजी मंदिर

پال بالاجی مندر

マンダレーシュワル・マハーデウ寺院

Mandaleshwar Mahadev Mandir

मंडलेश्वर महादेव मंदिर

منڈلیشور مہادیو مندر

グダビシュノイ村

Guda Bishnoi

गुडा बिश्नोई ग्राम

گوڈا بشنوئی گاؤں

サルダル・サマンド・レイクパレス

Sardar Samand Lake Palace

सरदार समंद पैलेस

سردار سمند محل

ジャスワント・サーガル・ダム
Jaswant Sagar Dam

जसवंत सागर बांध
جسونت ساگر ڈیم

ケジャラ・フォート
Khejarla Fort

खेजड़ला किला
کھیڑجالا قلعہ

タール砂漠
Thar Desert

थार रेगिस्तान
صحرائے تھر

オシアン
Osian

ओसियां
اوسیان

サチヤ・マタ寺院
Sachiya Mata Mandir

सच्चियाय माता मंदिर
سچیہ ماتا مندر

ハリハラ寺院
Harihara Mandir

हरिहर मंदिर
ہریہار مندر

カタン・バオリ
Katan Baori

कातन बावड़ी
کتان باوری

スーリヤ寺院
Surya Mandir

सूर्य मंदिर
سورج مندر

マハーヴィラ・ジャイナ寺院
Mahavira Jain Mandir

महावीर जैन मंदिर

مہاویر جین مندر

オシアン・デザート・パーク
Osian Desert Park

ओसियां डेजर्ट पार्क

اوسیاں صحرا پارک

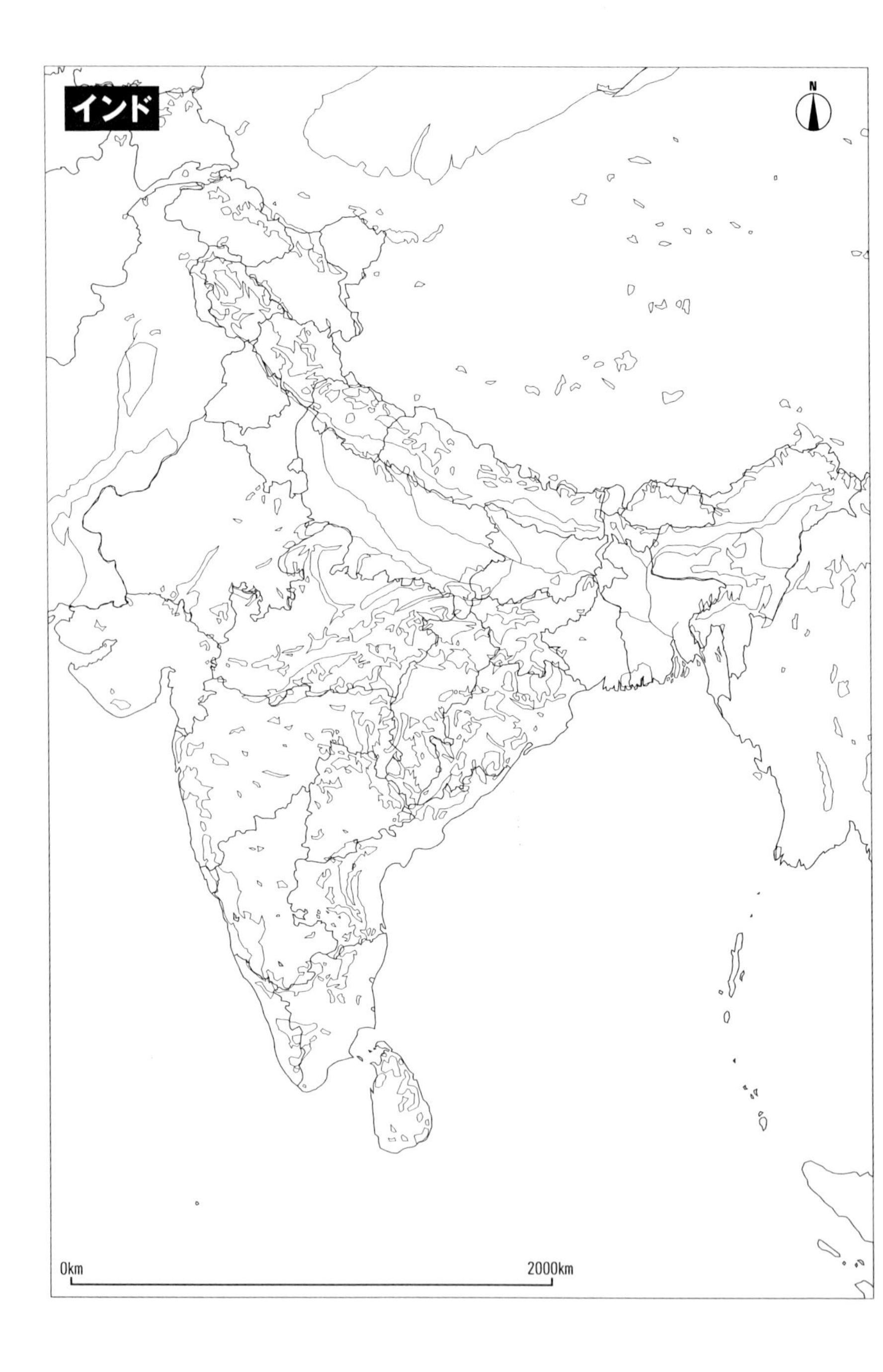
インド
N
0km
2000km

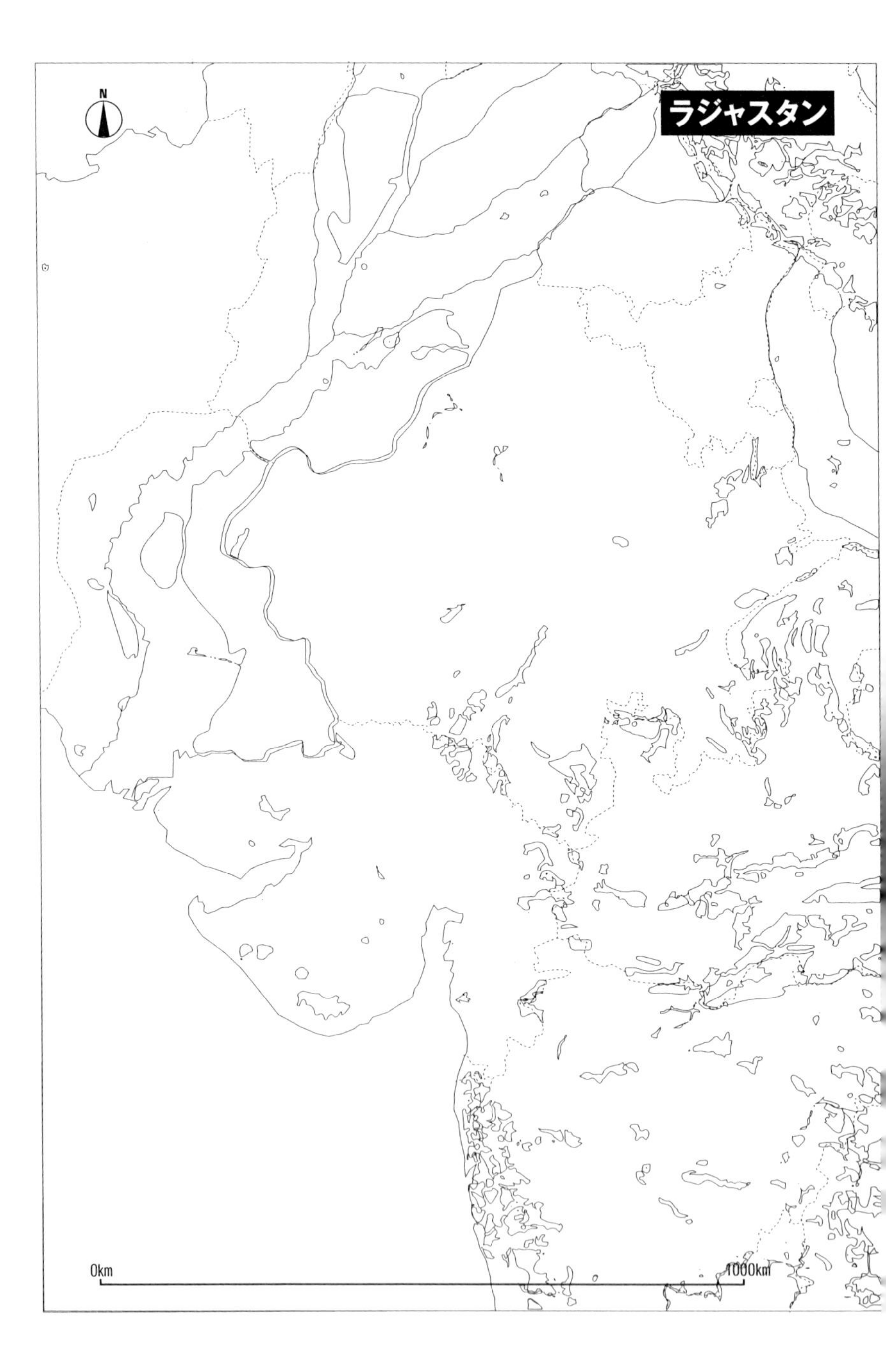
ラジャスタン
N
0km
1000km

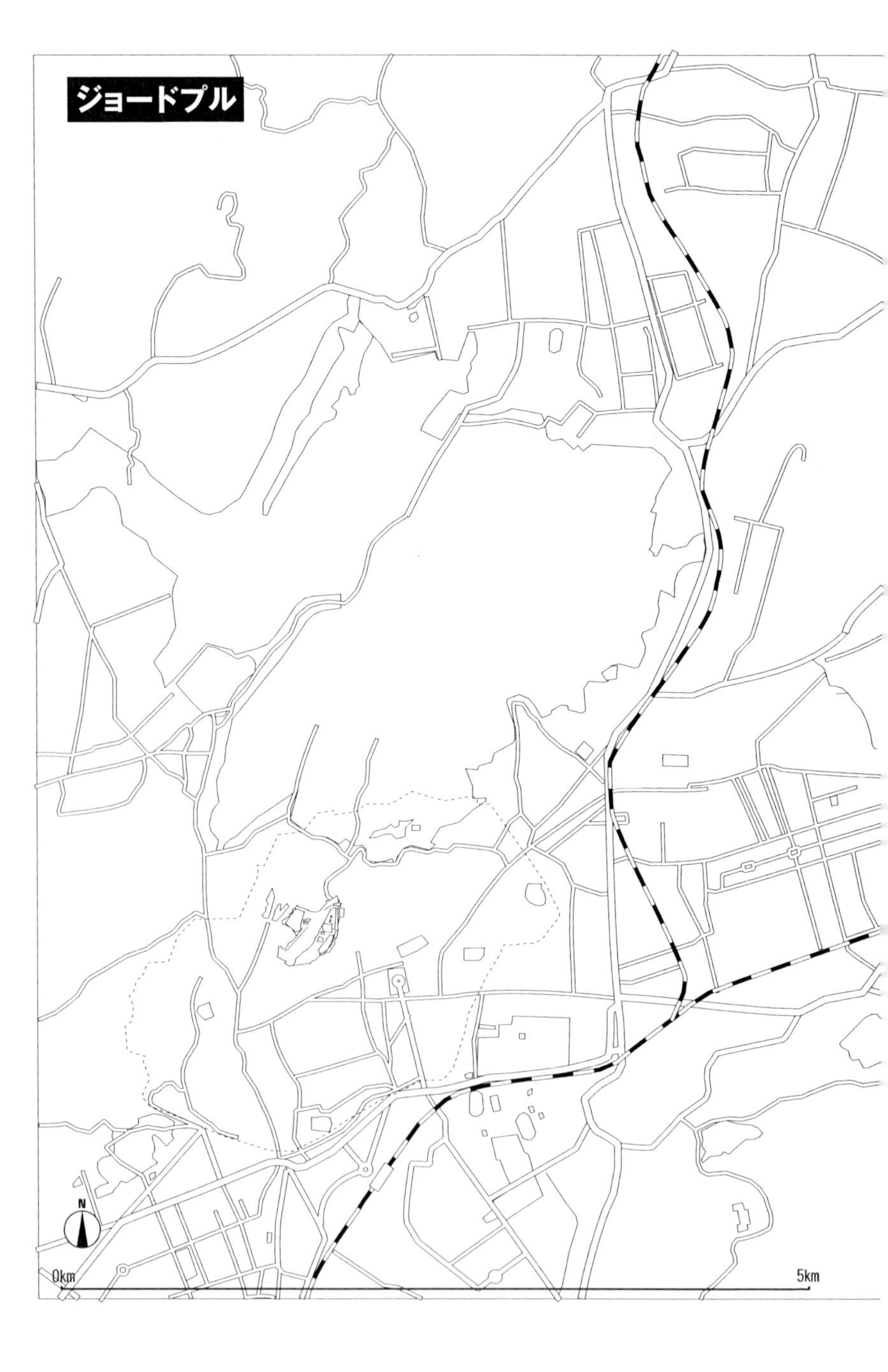
ジョードプル
N
0km
5km

ジョードプル旧市街
N
0km
2km

メヘランガルフォート
N
0m
300m

メヘランガルフォート
宮殿区
N
0m
50m

N
メヘランガルフォート
庭園区
0m
300m

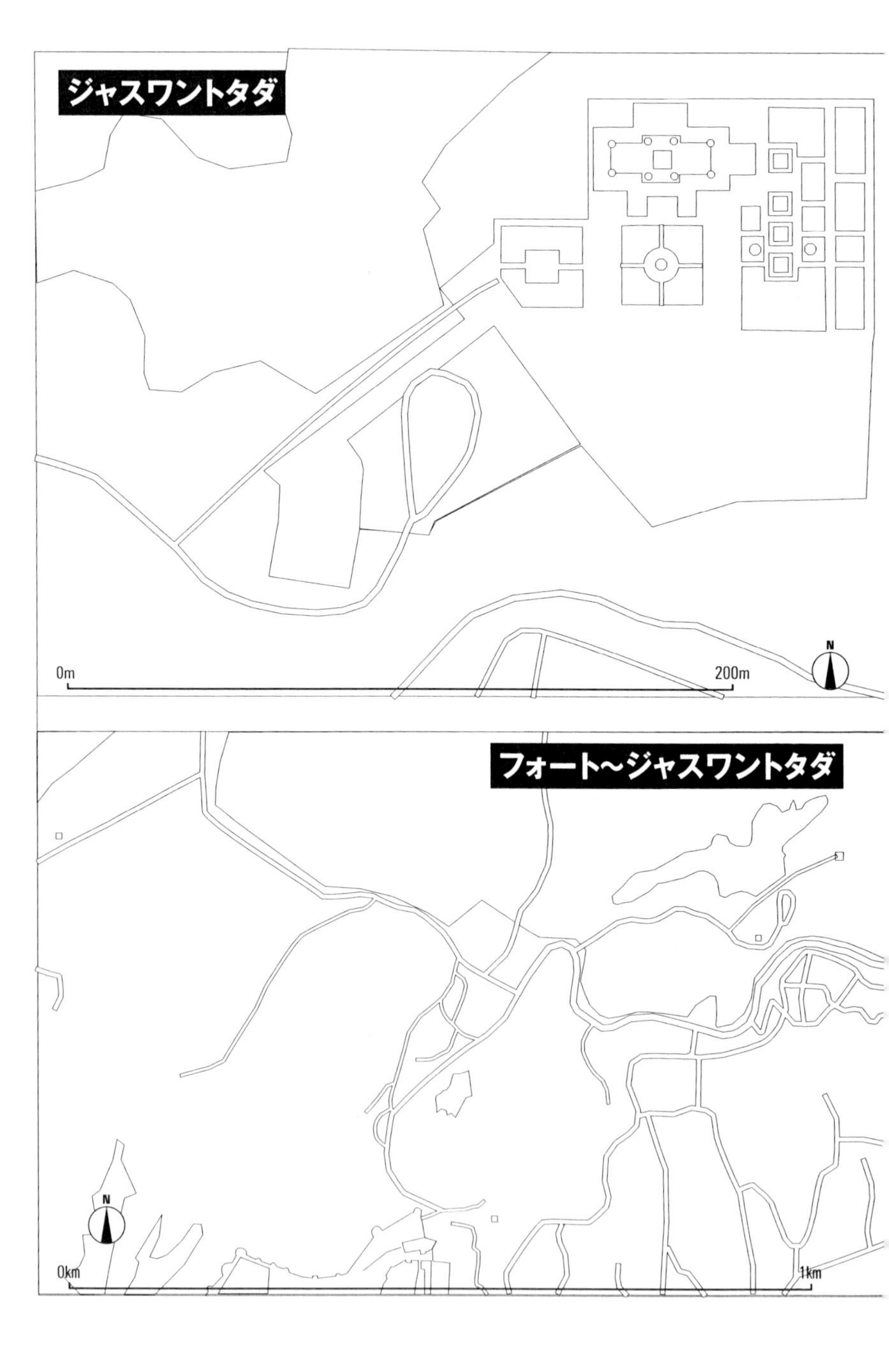
ジャスワントタダ
N
0m
200m
フォート〜ジャスワントタダ
N
0km
1km

旧市街中心部
0km
1km
N

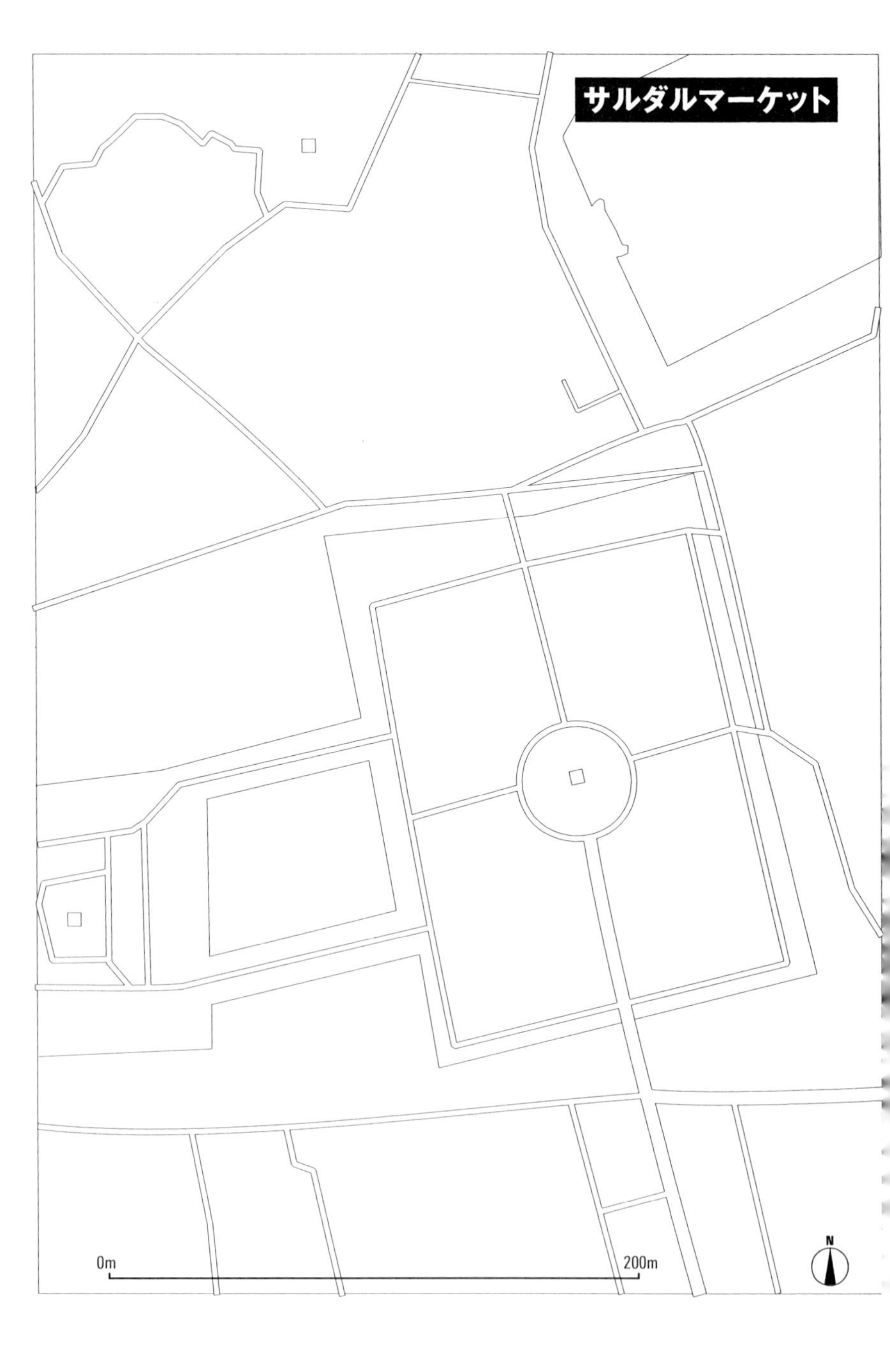

サルダルマーケット
0m
200m
N

旧市街西部
0m
500m
N

ジュニマンディ
0m
200m
N

ジョードプル駅
0km
1km
N

ウメイドガーデン
0km
1km
N

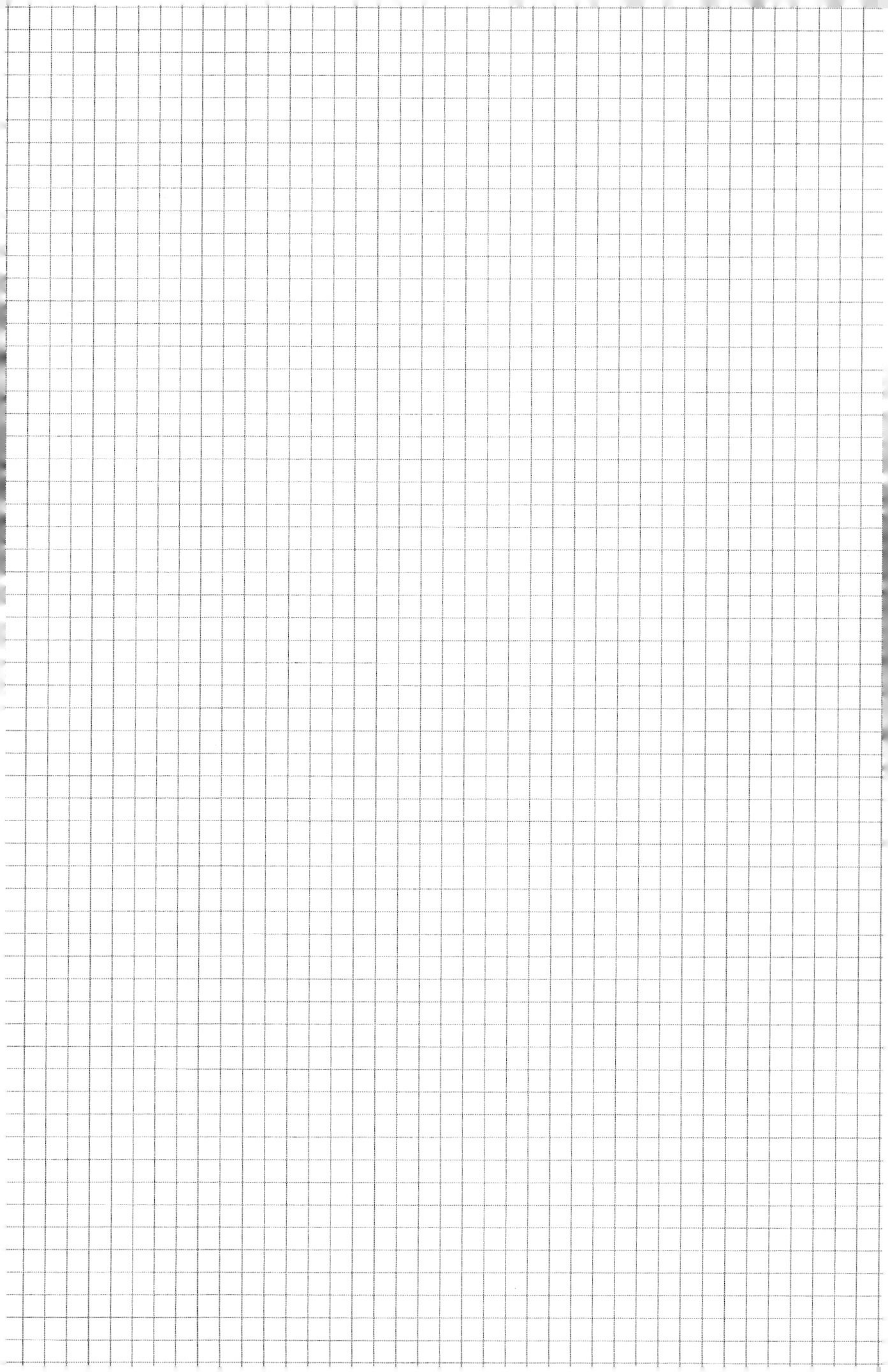

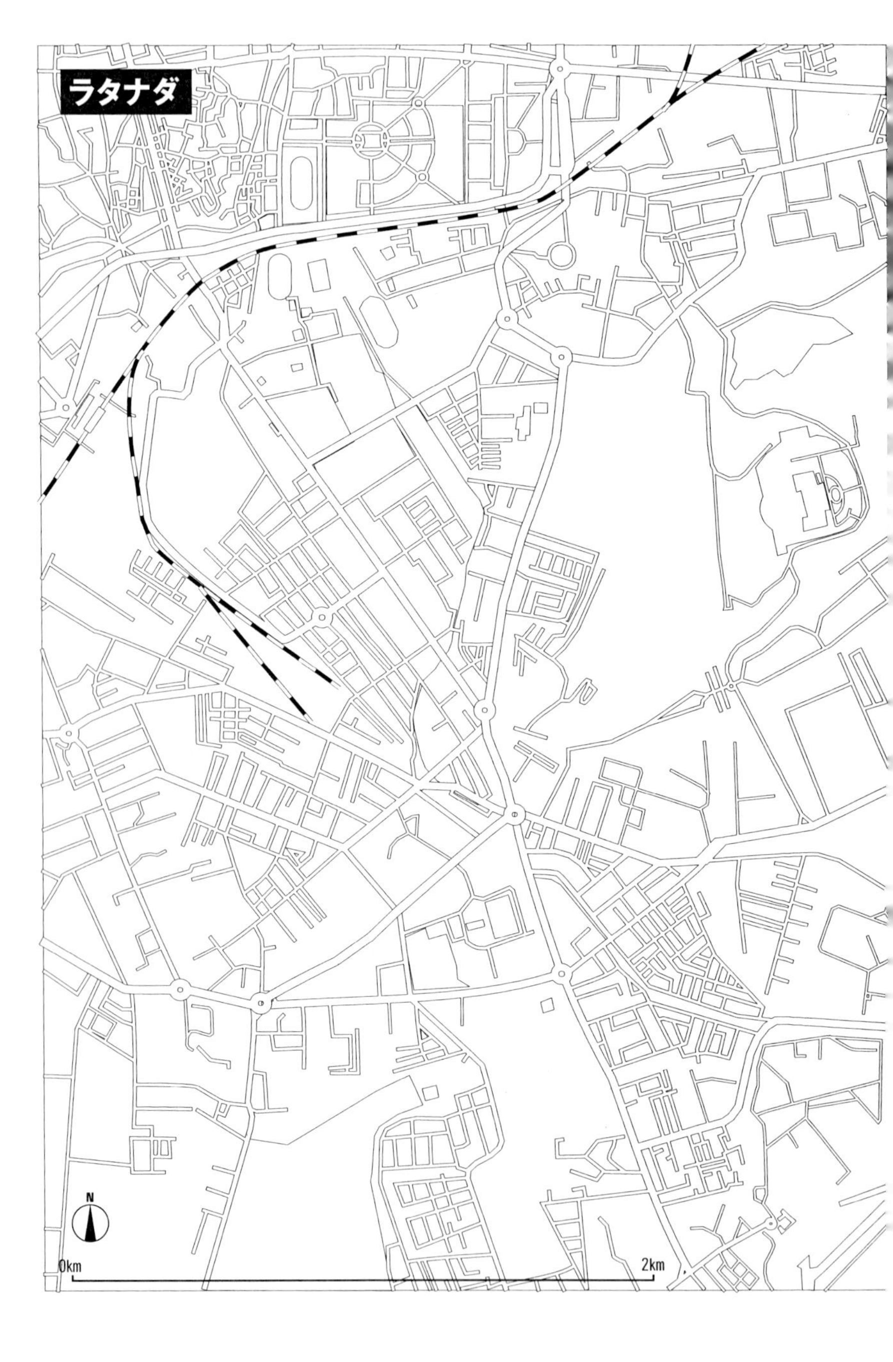
ラタナダ
N
0km
2km

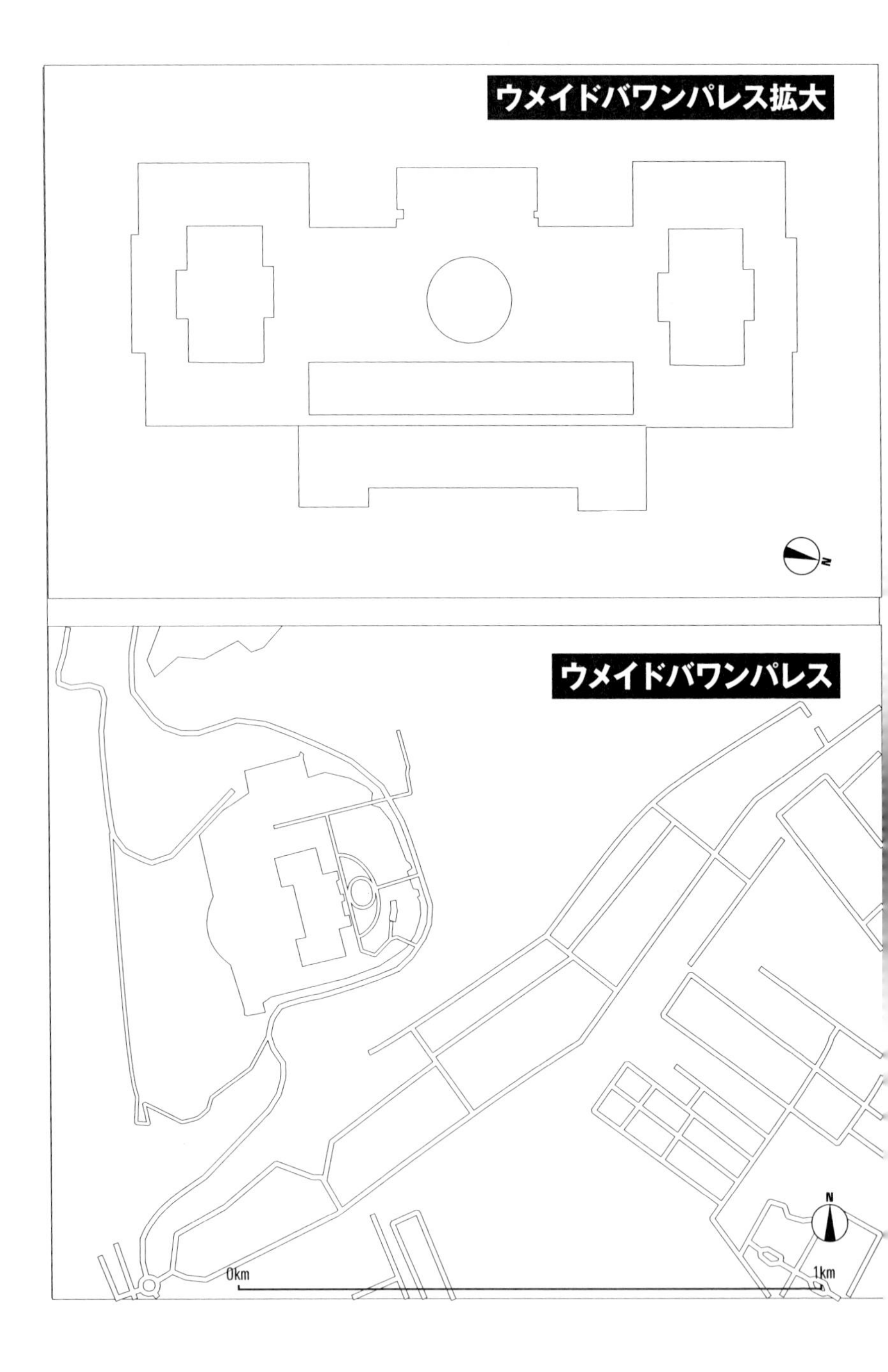

ウメイドバワンパレス拡大
N
ウメイドバワンパレス
N
0km
1km

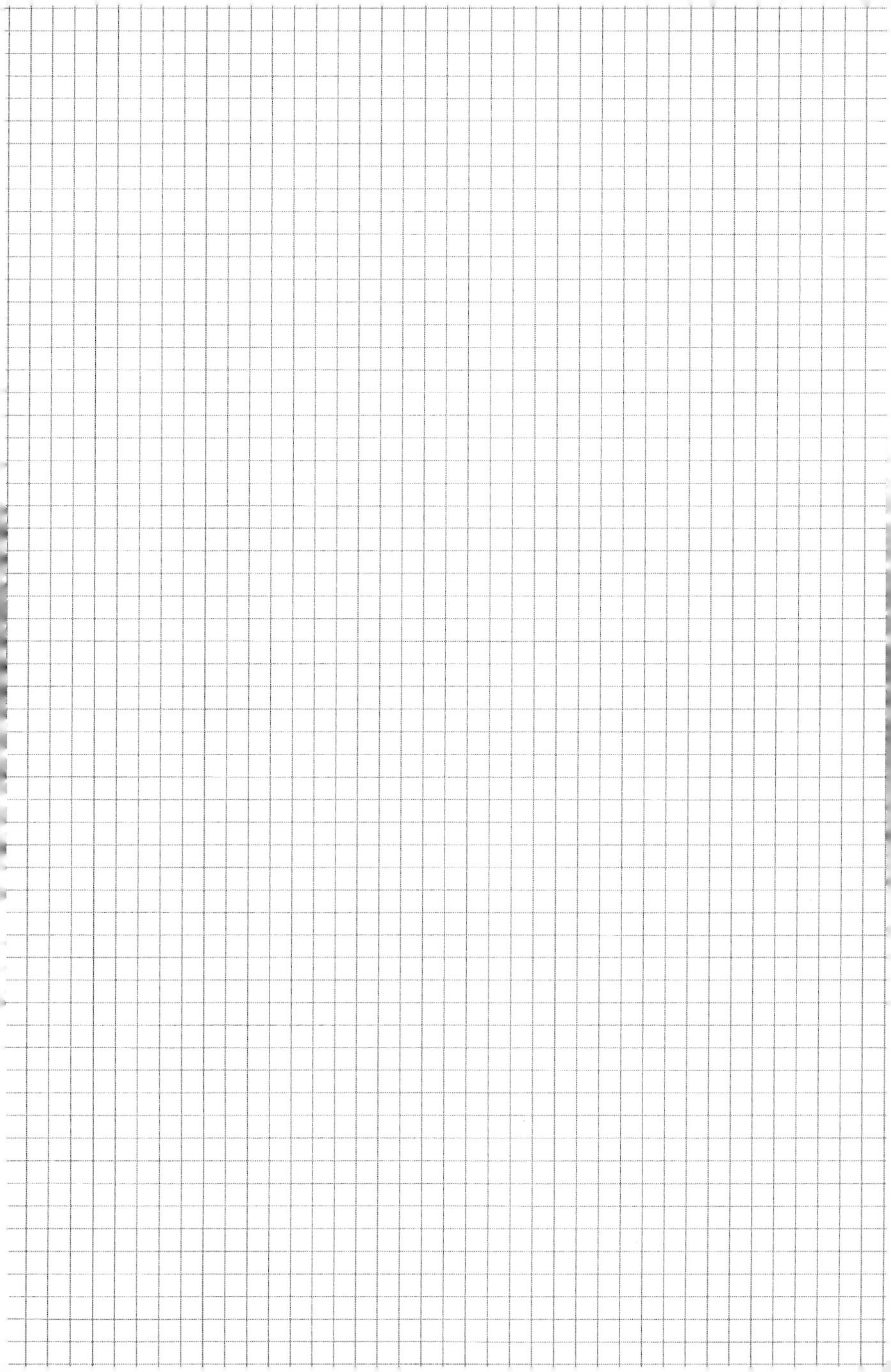

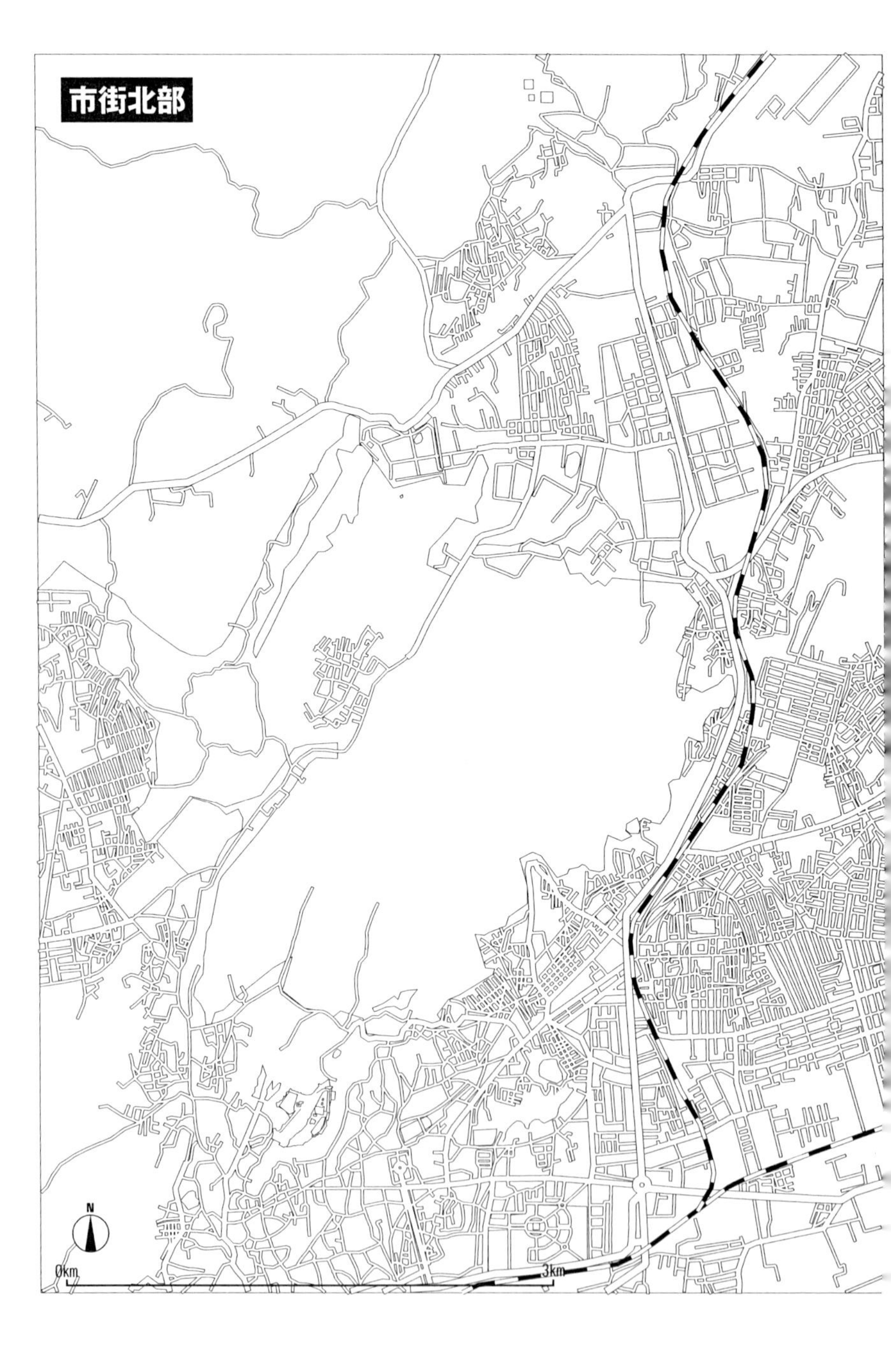
市街北部
N
0km
3km

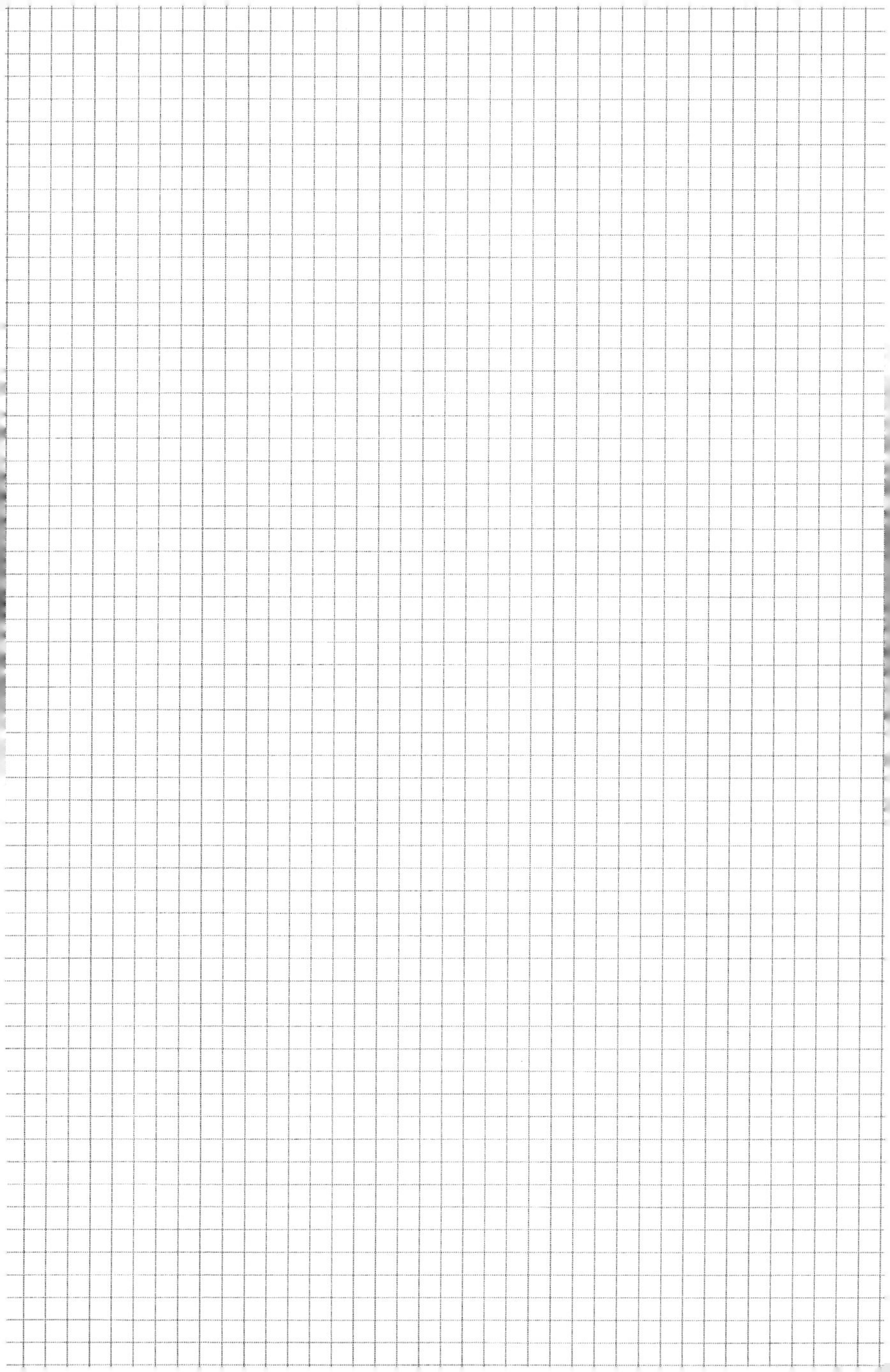

マンドール
N
0m
500m

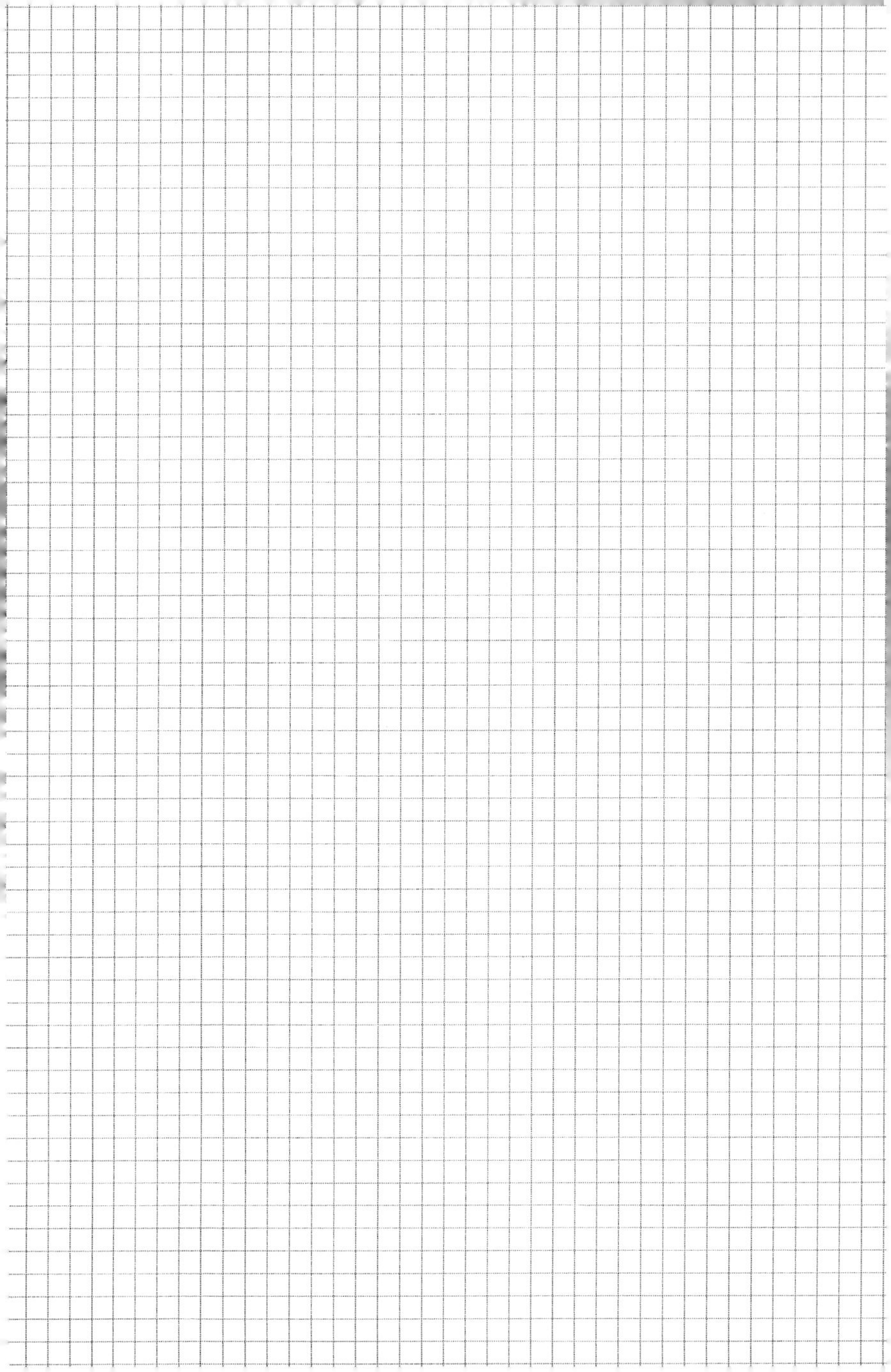

N
チャトリ群
0m
100m

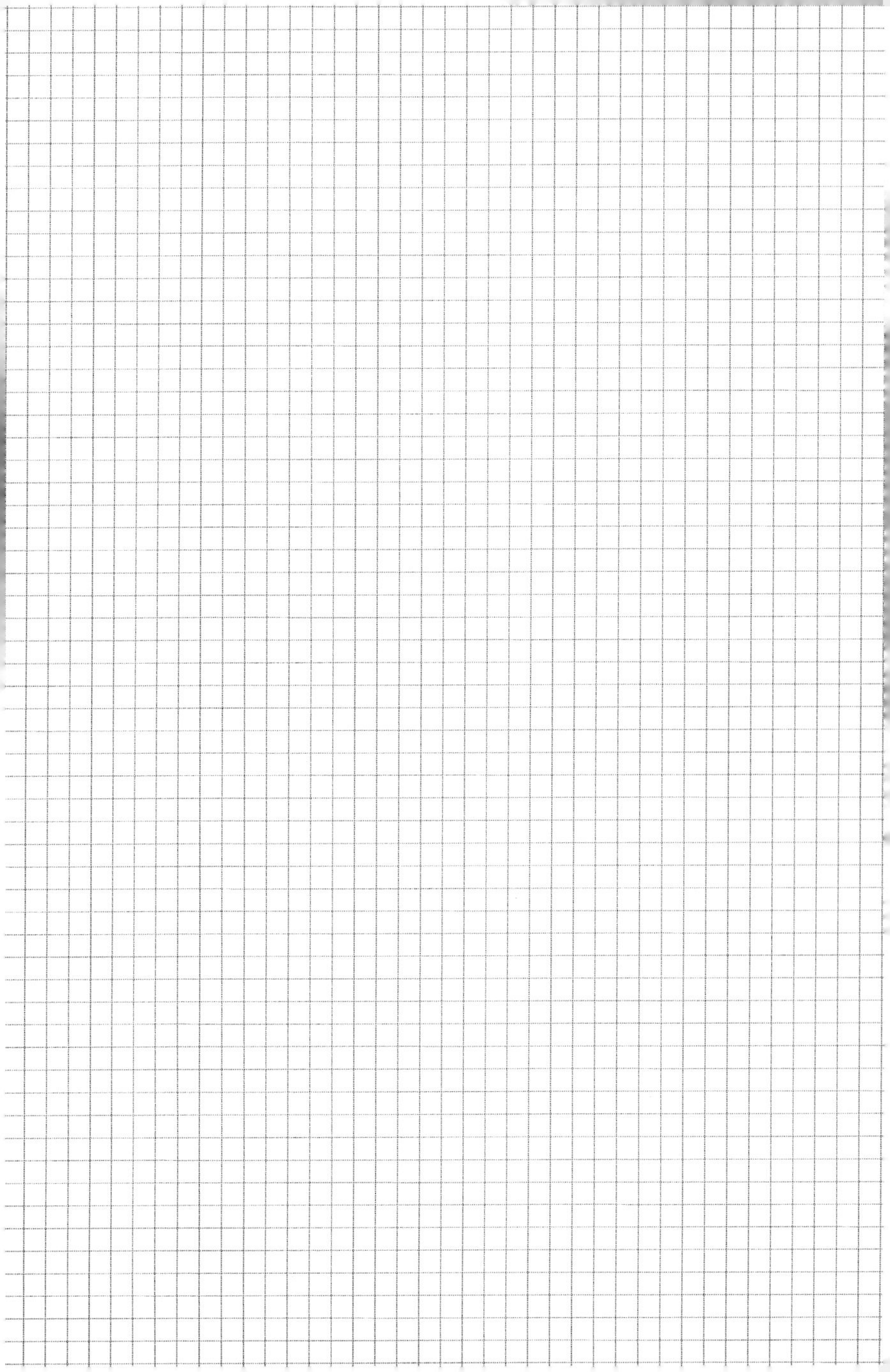

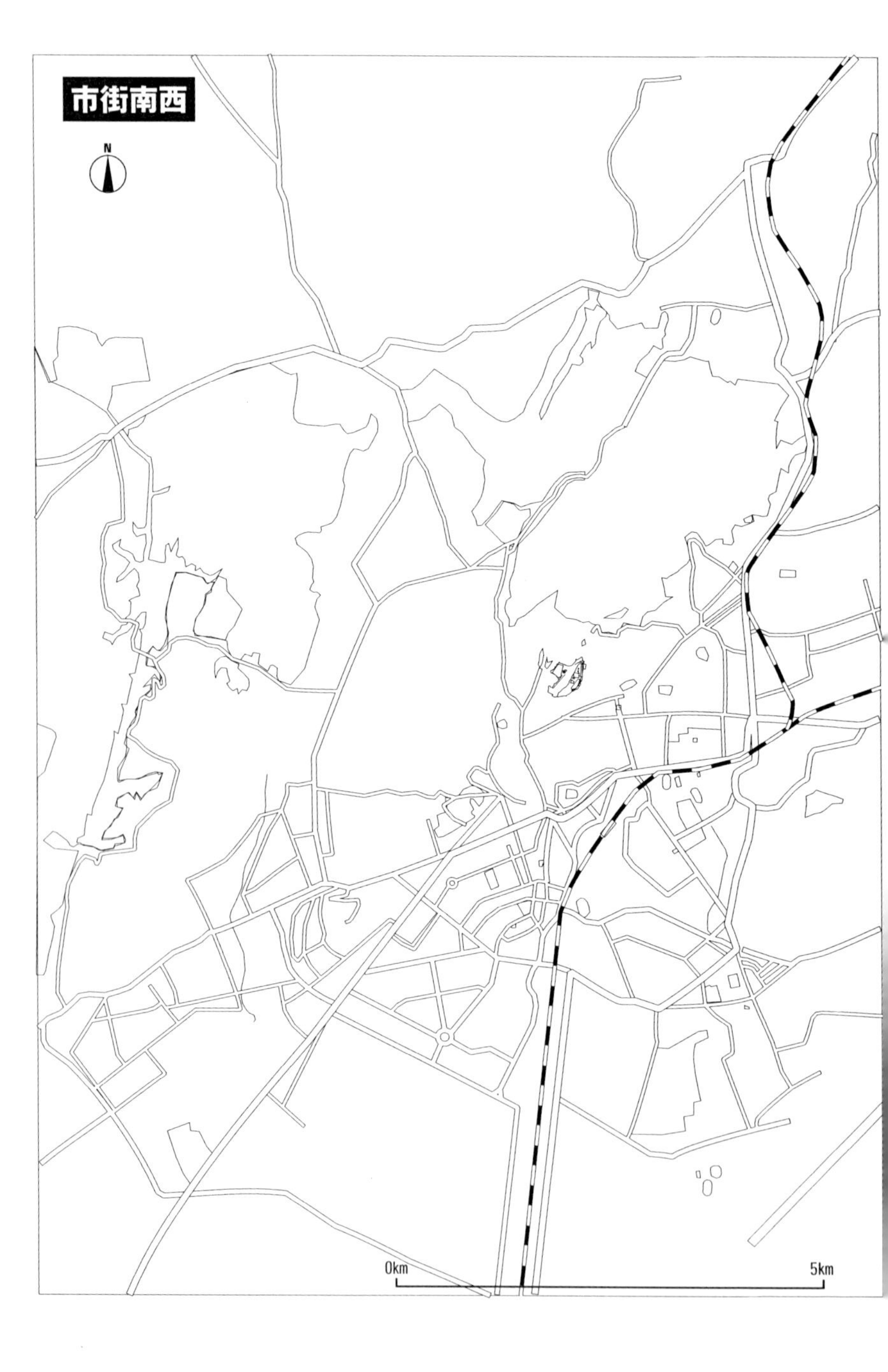
市街南西
N
0km
5km

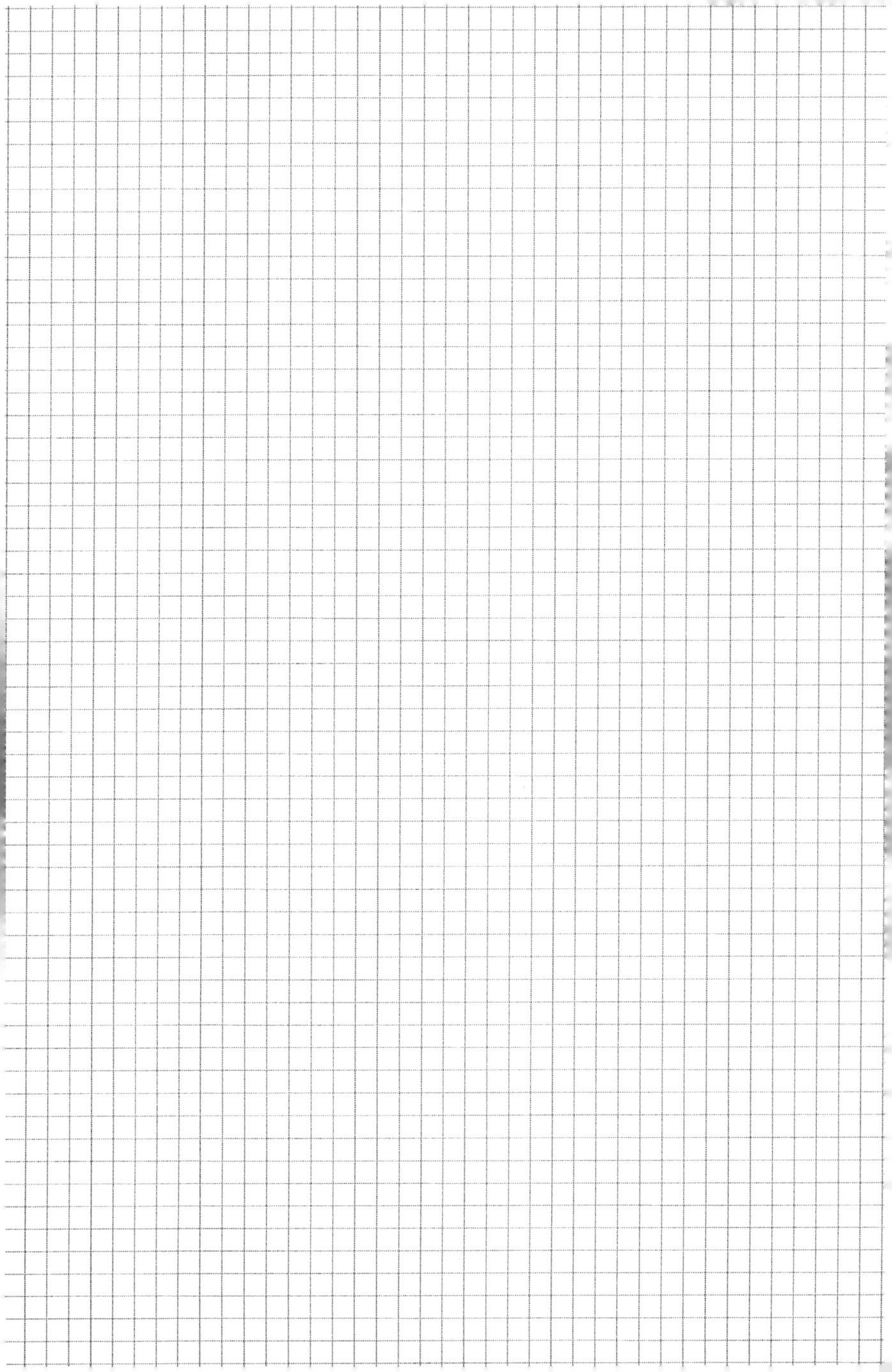

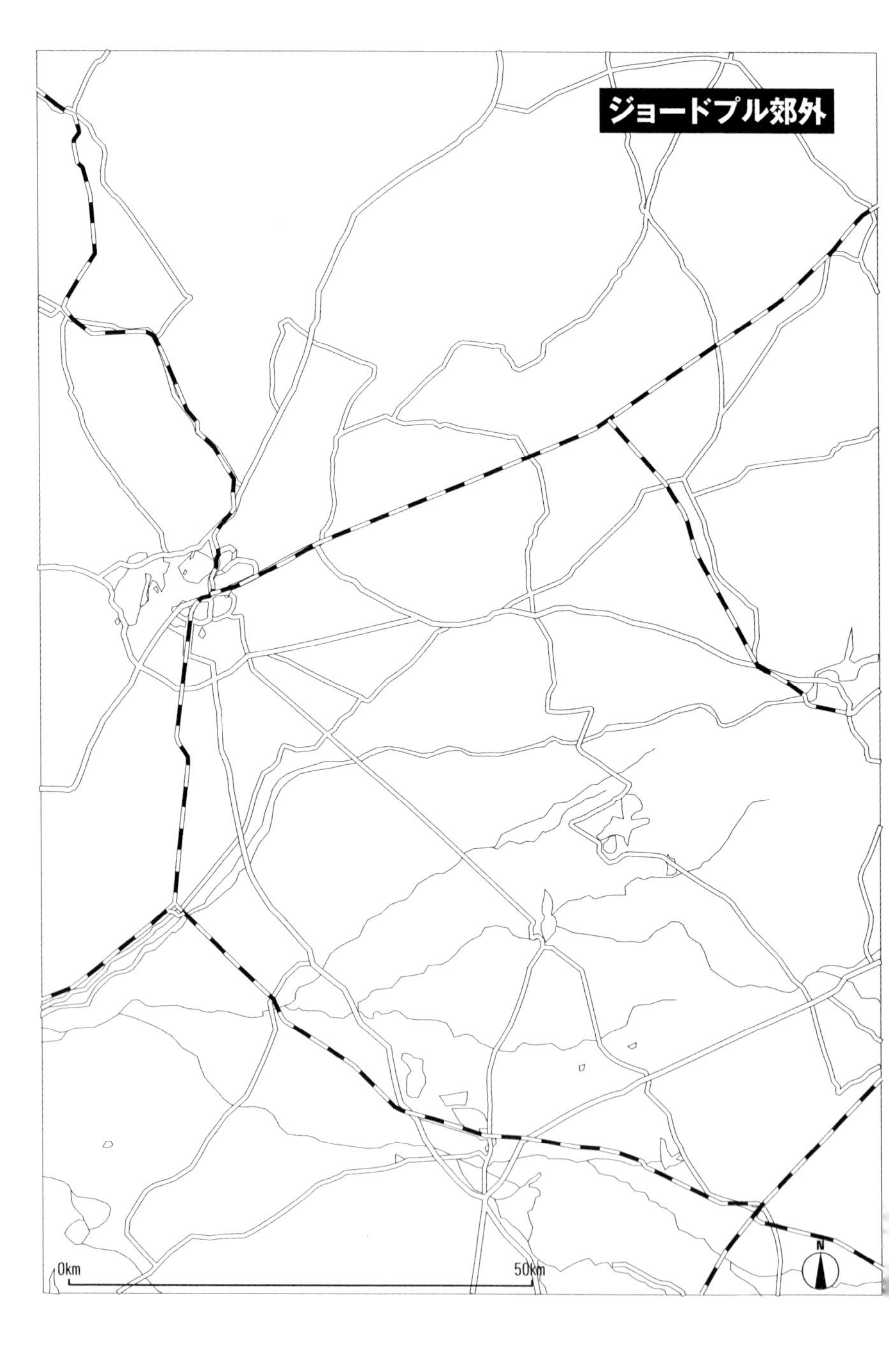

ジョードプル郊外
0km
50km
N

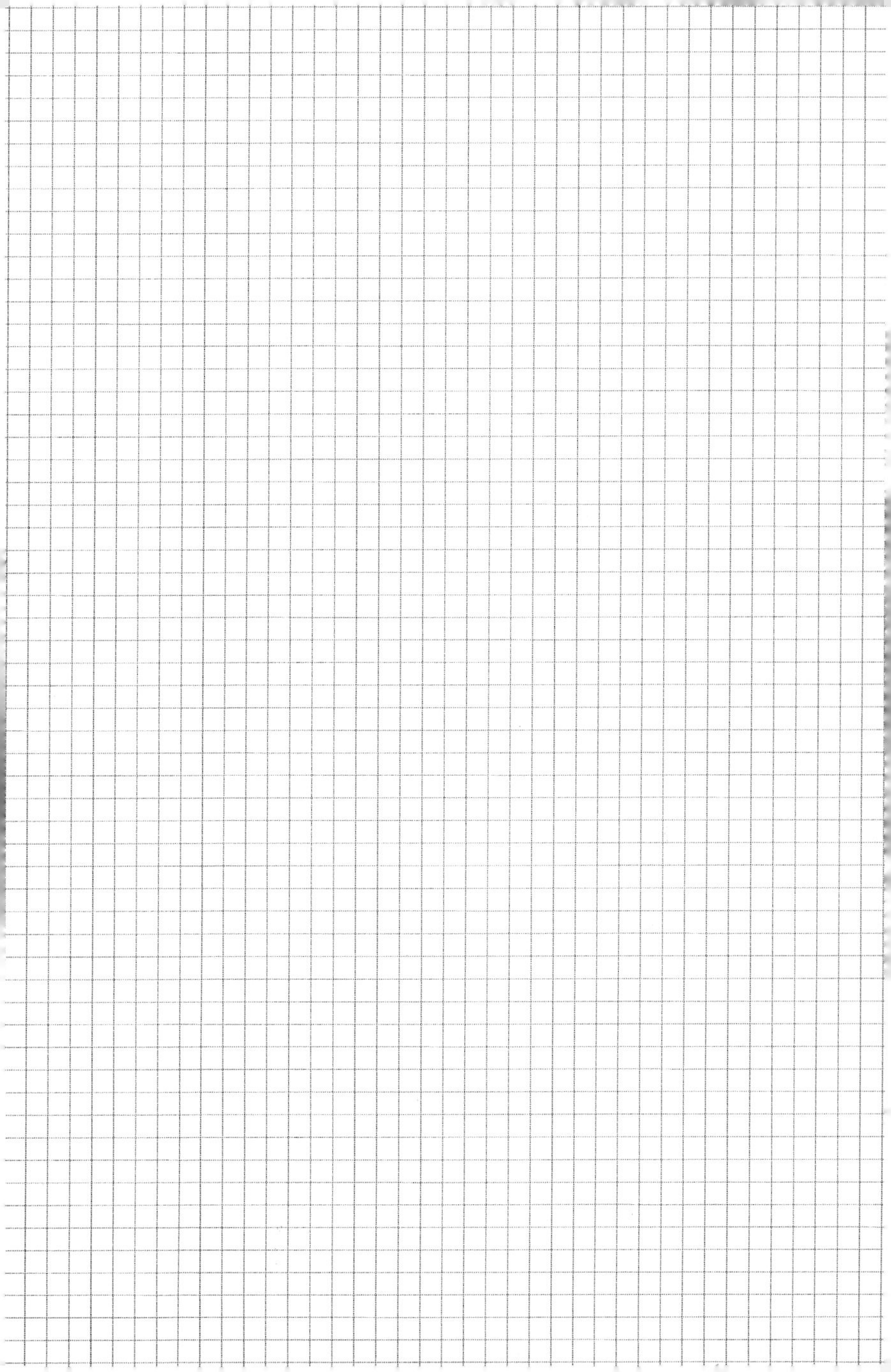

オシアン
N
0km
1km

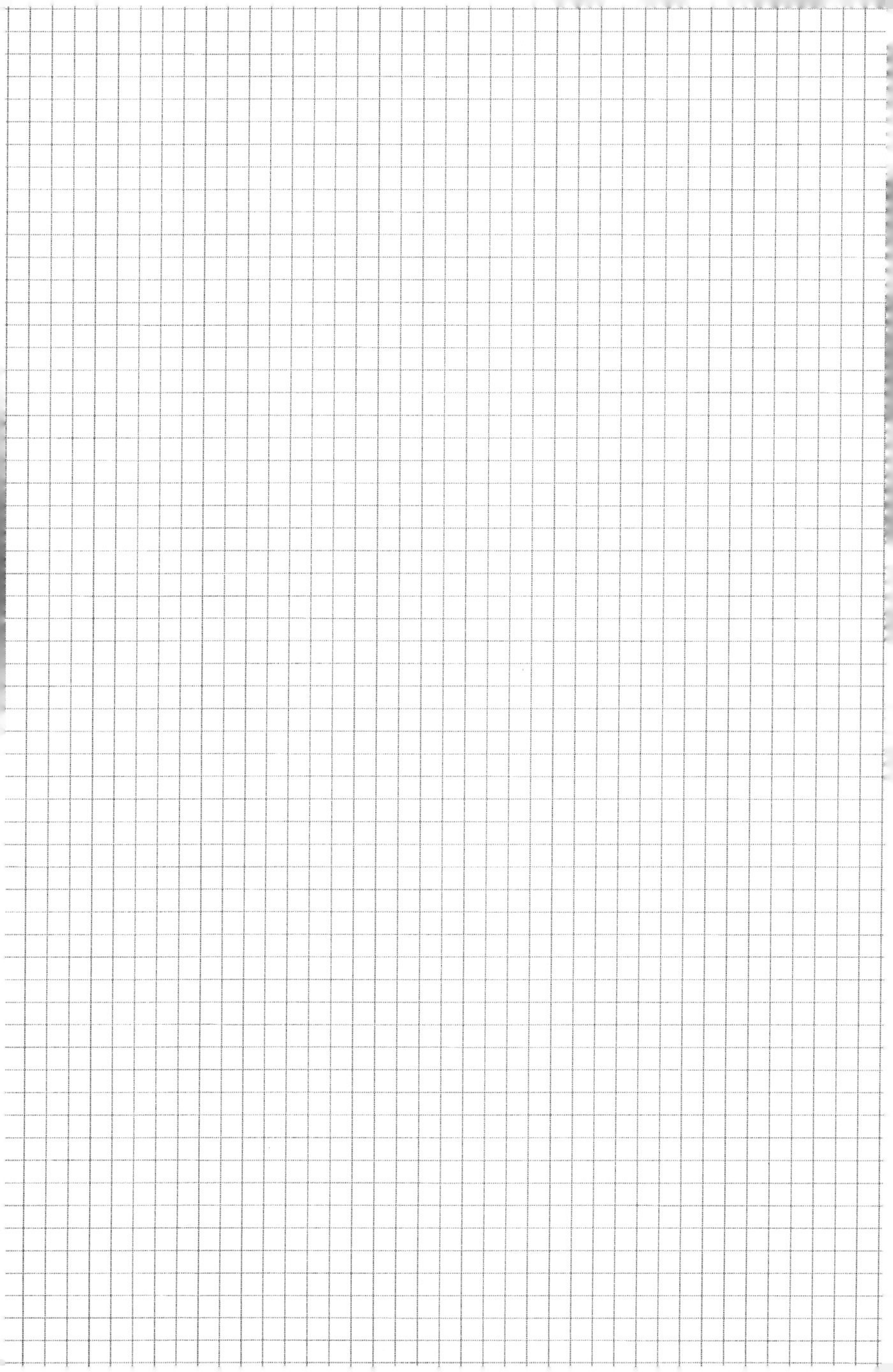

オシアン拡大
N
0m
500m

【車輪はつばさ】

南インドのアイラヴァテシュワラ寺院には
建築本体に車輪がついていて
寺院に乗った神さまが
人びとの想いを運ぶと言います

An amazing stone wheel of the Airavatesvara Temple
in the town of Darasuram, near Kumbakonam in the South India

まちごとインド
西インド 003

ジョードプル

「巨人の城」とブルー・シティ

［モノクロノートブック版］

「アジア城市（まち）案内」制作委員会
まちごとパブリッシング
http://machigotopub.com

・本書はオンデマンド印刷で作成されています。

・本書の内容に関するご意見、お問い合わせは、発行元の
　まちごとパブリッシング info@machigotopub.com までお願いします。

まちごとインド
新版 西インド003ジョードプル
〜「巨人の城」とブルー・シティ

2020年11月28日　発行

著　者　「アジア城市（まち）案内」制作委員会
発行者　赤松　耕次
発行所　まちごとパブリッシング株式会社
〒181-0013　東京都三鷹市下連雀4-4-36
URL　http://www.machigotopub.com/
発売元　株式会社デジタルパブリッシングサービス
〒162-0812　東京都新宿区西五軒町11-13
清水ビル3F
印刷・製本　株式会社デジタルパブリッシングサービス
URL　http://www.d-pub.co.jp/

MP326

ISBN978-4-86143-478-5 C0326　Printed in Japan